África antigua

Una guía fascinante de las antiguas civilizaciones africanas, como el Reino de Kush, la Tierra de Punt, Cartago, el Reino de Axum y el Imperio de Malí con su Tombuctú

Índice

Introducción

Fue en el continente de África donde nacieron los primeros humanos. Exploraron la vasta tierra y produjeron las primeras herramientas. Y aunque emigramos de aquel continente, nunca lo abandonamos completamente. Desde el principio de los tiempos, los humanos vivieron y trabajaron en África, dejando evidencia de su existencia en las arenas del desierto del Sahara y en los valles de los grandes ríos, como el Nilo y el Níger. Algunas de las primeras grandes civilizaciones nacieron allí, y nos permiten hacernos una idea de los pequeños reinos de la antigua África.

Egipto es la principal fuente de conocimiento de muchos reinos vecinos que fueron igual de ricos y avanzados. Desafortunadamente, fueron olvidados con el tiempo, ya que otras civilizaciones y reinos los reemplazaron como potencias del continente. Solo recientemente pudimos redescubrir el poderío del reino de Axum, las proezas políticas de Kush, y la riqueza del misterioso Punt. Los primeros reinos medievales de Ghana y Malí todavía son investigados por su cultura pre-musulmana única y su visión propia del islam.

Debido a la enorme diversidad de la historia de África, conocerla puede ser difícil. Aunque la humanidad comenzó en aquel lugar, por alguna razón perdimos el interés en este. Y aunque los programas de arqueología fundados a mediados del siglo XX ayudaron un poco, todavía tratamos de eliminar la ignorancia y los prejuicios raciales de la época colonial. África guarda muchos secretos, y están maduros para cosechar. Los reinos que se tratan en este libro servirán de inspiración a las generaciones futuras para explorar debajo de la tierra africana y en sus tradiciones orales.

Como hogar de muchos faraones, la reina de Saba, Aníbal Barca y Mansa Musa, África merece toda nuestra atención. Tiene historias que contar y riquezas culturales que compartir con nosotros. En África el paganismo, el cristianismo y el islam dejaron sus huellas y crearon una fusión cultural. Algunos países modernos son destinos turísticos populares, mientras que otros son tierras devastadas por la guerra, aún incapaces de industrializarse. En África, tal polaridad se remonta a la antigüedad, y los acontecimientos ocurridos allí que dieron forma al mundo deben ser estudiados y comprendidos.

Capítulo 1 - El Reino de Kush

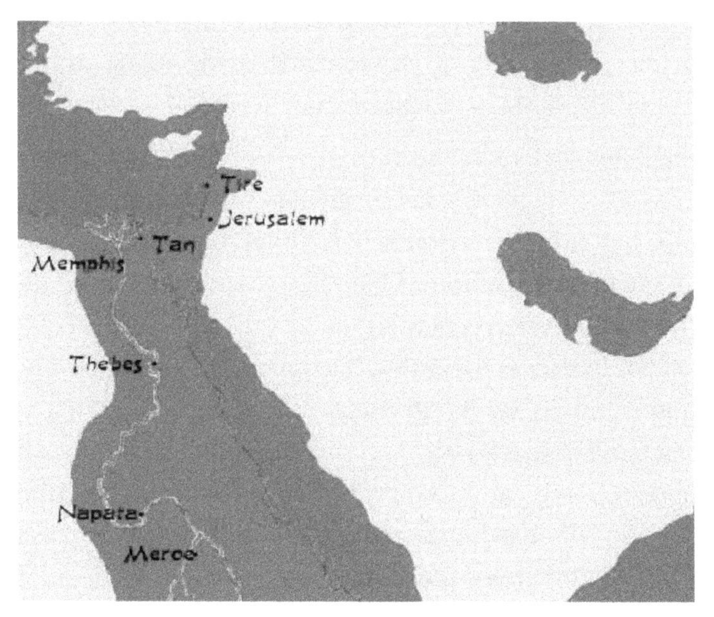

El Imperio de Kush en su apogeo en 700 a. C.

La historia antigua de la región del Nilo Medio a menudo fue determinada por los conflictos entre Egipto y Nubia. Ambos reinos querían la supremacía sobre la región del Nilo Medio, pues sería la puerta al comercio con el resto de África. Para el Nuevo Imperio de Egipto (siglos XVI-XI a. C.), era de gran importancia mantener pacificada a Nubia para usar sus riquezas y expandir su influencia sobre los territorios del Levante (región histórica de Siria). Pero alrededor de 1650 a. C., la Baja Nubia cayó bajo el control del reino de Kerma. A través de la diplomacia, este reino pudo controlar el comercio entre Egipto y África.

El reino de Kerma aparece en las fuentes egipcias como el reino de Kush. Los nombres de los primeros líderes de Kush aún son desconocidos, pero debieron luchar contra el dominio de los gobernantes egipcios. Las primeras fuentes hablan de la lucha de Kamose de la Decimoséptima Dinastía de Egipto (regidor entre 1555 y 1550 a. C.) contra el reino de Kush; su sucesor, Ahmose I, continuó la tarea. Estos gobernantes comenzaron una conquista sistemática de Nubia. Kamose aseguró la Baja Nubia, pero no tuvo éxito en expandir Egipto más al sur. Solo hasta el reinado de Tutmosis III, alrededor de 1460 a. C., Egipto finalmente logró controlar los territorios del sur, hasta la cuarta catarata del Nilo.

Las cataratas del Nilo son tramos del río poco profundos y rápidos. Las aguas blancas y las pequeñas cascadas ocupan algunas de estas zonas, que no son navegables. En total, había seis cataratas, pero algunas se encuentran hundidas bajo lagos artificiales. Pero incluso las que ya no existen se recuerdan en los libros de historia porque representaban fronteras naturales, hitos y puntos de paso importantes. Las regiones nubias de la Primera a la Cuarta Catarata del Nilo estaban bajo el gobierno de los supervisores. Su título oficial era «Hijos del Rey», que cambió durante el gobierno de Amenhotep II a «Hijos del Rey de Kush». Su papel era similar al de un virrey, y muchos historiadores los describen como tales. Quienes llevaban aquel título no estaban necesariamente emparentados con el rey egipcio; a menudo eran elevados al puesto debido a sus esfuerzos como administradores y burócratas reales. Durante el Imperio Medio (c. 1975-1640 a. C.), la Alta y la Baja Nubia formaban parte de Egipto. Compartían la misma economía, administración e ideología. En esta época, los egipcios construyeron templos en la región de Kush, dedicados a sus dioses y faraones, como Re-Harakhte, Amón-Ra,

Ptah, Horus, Hathor e Isis. Con Ramsés II alcanzaron la cúspide al adorar a un gobernante vivo.

Los nativos de las regiones de Kush eran egipcios a distintos niveles. Las familias ricas adoptaron nombres egipcios y se les permitía una educación egipcia. Incluso fueron enterrados en tumbas de estilo egipcio, lo cual indica que adoptaron la religión y las costumbres funerarias de sus gobernantes. Al principio, los estudiosos creían que todos los nativos integraron la cultura egipcia a sus vidas, opinión respaldada por los objetos materiales encontrados en la región. Sin embargo, siendo Egipto el centro de la economía, es natural que los artículos cotidianos fueran de origen egipcio. La población indígena tenía sus propias costumbres en cuanto a la tradición mortuoria. Aunque usaban herramientas egipcias, pues no había otras disponibles, todas las pruebas sugieren que tenían sus propios ritos y religiones indígenas. Existen frecuentes menciones a la diosa Nhsmks, y otras pruebas iconográficas de varios cultos que no eran de origen egipcio.

El fin de la dominación egipcia

El nombre Kush fue dado a Nubia por los egipcios del Imperio Medio. Es una designación para el pueblo indígena de la región de Nubia, conocido como los kushitas. Sin embargo, el término «Kush» también puede encontrarse en los nombres personales de algunos de los gobernantes de la región, como el del rey Kashta, cuyo nombre puede traducirse como «de las tierras de Kush». Las primeras fuentes de la historia del reino de Kush son de origen egipcio. Debido a los constantes conflictos en la región nubia, las tierras de Kush al sur de la primera catarata del Nilo, necesitaban ser conquistadas. Después del reinado de Kamose, estas tierras estuvieron bajo dominio egipcio durante casi cinco siglos (desde 1550-1069 a. C.). Aunque Nubia se incorporó rápidamente al Nuevo Imperio egipcio después de las conquistas iniciales de Kamose y Ahmose I, la región fue el punto de origen de muchas rebeliones. Hay constantes menciones de diversas sublevaciones de las regiones de Kush desde el reinado de Tutmosis IV (r. 1401-1390 a. C.) hasta Ramsés III (1186-1154 a. C.) en numerosas fuentes. Cada gobernante tuvo que luchar contra la población local para mantener el control de la región.

Se desconocen las razones de tales rebeliones, pero existe la teoría de que el conflicto surgió por las minas de la Baja Nubia, ricas en oro. Las zonas de la quinta y sexta cataratas del Nilo también se vieron afectadas por el conflicto, probablemente causado por la interferencia política de las regiones del sur, libres del dominio de Egipto. La élite de Kush se fortaleció en las partes más meridionales de la Nubia controlada por Egipto, alrededor de la región de Napata. Allí, después de la retirada egipcia de la Alta Nubia durante la Vigésima Dinastía (1189-1077 a. C.), el dominio pasó a la élite local. Sin embargo, no está claro si estos gobernantes indígenas tenían total libertad o eran reyes vasallos de Egipto. Algunos historiadores sugieren que fue Ramsés III quien retiró su reino de la región de Napata hasta Kawa, en la orilla Este del Nilo.

Ambas teorías contradicen la evidencia escrita de Ramsés IX, quien recaudó tributos nubios y regaló tierras agrícolas en la región. Parece que la administración egipcia de las regiones al sur de la tercera catarata del Nilo era muy débil. Sin embargo, las regiones septentrionales siguieron bajo la fuerte influencia de Egipto hasta finales del siglo XII a. C. Durante el reinado de Ramsés XI (1098-1069 a. C.), el dominio egipcio alcanzó las zonas meridionales hasta la segunda catarata.

No hay pruebas para sugerir que la retirada egipcia de la Alta Nubia se debió a la agresión de los gobernantes locales. Sin embargo, se produjo durante el declive del poder político y económico de los últimos faraones. Al mismo tiempo, Egipto abandonó Palestina debido a la migración de los pueblos del Mediterráneo oriental, que influyeron mucho en el gobierno central de Egipto. Con el declive del reino de Egipto, la ideología de las regiones nubias cambió. De repente, la población apoyó el retorno de las estructuras sociopolíticas locales, o lo que quedaba de ellas después de cinco siglos de dominio egipcio. Se hizo imposible para los faraones mantener su jerarquía en Nubia por su debilitada economía. Debido a la mala economía su poder militar se debilitó, por lo cual Egipto ya no podía sofocar las rebeliones de Kush. La crisis económica permanente comenzó con el gobierno de Ramsés IX. Para cuando llegó Ramsés XI, había estallado una guerra civil instigada por el conflicto entre el Virrey de Kush, Panehesy y el Sumo Sacerdote de Amón, Amenhotep. La razón de este conflicto aún se desconoce, pero la crisis económica fue de tal intensidad que incluso el ejército comenzó a saquear tumbas. La hambruna siguió a la guerra, y las atrocidades cometidas tanto por el virrey como por el sumo sacerdote conmocionaron al pueblo de Egipto.

El conflicto terminó con el ascenso de hombres poderosos, pues Paiankh se convirtió en el siguiente virrey de Kush, y Herihor reemplazó al sumo sacerdote Amenhotep. Los descendientes de Herihor se convertirían en los gobernantes de Egipto conocidos como las Dinastías XXI, XXII y XXIII. En el período de renacimiento que siguió, Egipto experimentó renovaciones y se recuperó de la guerra civil. Sin embargo, Panehesy se quedó con la Baja Nubia para sí, y Paiankh trató constantemente de devolver estos territorios al control de Egipto. El conflicto entre el ex-virrey de Kush y el nuevo terminó con un tratado que limitaba la autoridad de Egipto a la región entre la primera y la segunda catarata del Nilo. El resto de los territorios del sur de Nubia permanecieron

independientes.

Los descendientes de Herihor recuperaron un limitado control sobre todo el valle del Nilo entre la primera y la segunda catarata. Esto devolvió al control egipcio las minas de oro de la región del Nilo Medio. Los miembros de la familia real también fueron nombrados virreyes de Kush, lo cual significó la reivindicación del dominio sobre toda Nubia, aunque se limitara a una región. El último virrey de Kush, Pamiu, gobernó la región desde el 775 al 750 a. C. Con los kushitas en el control de la Baja Nubia, la oficina del virrey dejó de existir. En la época de Pamiu, la influencia del virrey se limitaba solo a los dominios de los templos de la región, lo cual significa que la zona nubia bajo control de Egipto se redujo aún más. En los años siguientes, los faraones continuarían los esfuerzos por recuperar algunos de los territorios perdidos porque esta zona controlaba el comercio con el resto de África. Cuando fue claro que Kush se había perdido para los egipcios, se establecieron contactos comerciales. Estos contactos llegaron hasta el sur de la sexta catarata del Nilo, y se mencionan tanto en fuentes egipcias como asirias.

La unificación de los estados sucesores

Hay evidencia escrita y arqueológica de la continua despoblación de la Baja Nubia desde el final del Nuevo Imperio hasta la Vigésimo Quinta Dinastía. Sin embargo, algunos estudiosos creen que la despoblación no ocurrió. Fue una ilusión creada por el pueblo de Nubia, que comenzó a cambiar sus prácticas funerarias en este punto de la historia. Aún queda mucho por descubrir, y no hay suficiente evidencia que lleve a una visión concluyente sobre el asunto. Hay algunos nuevos descubrimientos prometedores, como la necrópolis de El-Kurru, que están fechados en este período, pero queda mucho trabajo por hacer, y se necesitan descubrir más fuentes. Debido a la falta de pruebas, el período entre el siglo XI y el siglo VIII a. C. permanece en la oscuridad.

Lo evidente es la supervivencia de los cacicazgos indígenas, que pasaron por alto la producción de bienes y su redistribución local. Una vez que el gobierno virreinal se derrumbó, la estructura social nativa resurgió. Se crearon políticas a pequeña escala para reemplazar el sistema de gobierno de Egipto. La élite egipcia de la sociedad se elevó hasta convertirse en líderes, y cada uno creó su propio estado sucesor en Nubia. Sin embargo, los estados recién creados estaban destinados a convertirse en estructuras sociales y económicas menos desarrolladas, ya que empezaron a depender de los recursos locales una vez Egipto se retiró. Tampoco contaban con la ayuda militar imperial de Egipto, y quedaron a merced de sus rivales y enemigos circundantes.

Egipto continuó atacando la región de Nubia, con el deseo de reintegrarla al gobierno imperial. Esto, y el fracaso de la administración económica de los estados sucesores, conllevó a la creciente necesidad de unificación de dichos estados. La falta de recursos naturales finalmente los empujó a unirse. Algunas regiones de Nubia eran ricas en minas, mientras que otras tenían tierras cultivables. La redistribución de los recursos debió llevarse a cabo bajo una sola administración. El cacicazgo de El-Kurru se convirtió en la principal entidad política de la unificación de la región de Nubia, ya que poseían las minas de oro entre la cuarta y quinta cataratas del Nilo. El-Kurru también mantenía rutas seguras para las caravanas que comerciaban dentro de Nubia y con el interior de África. Para ser claros, el nombre original del cacicazgo no está registrado. El-Kurru es el nombre de la moderna aldea donde se descubrió el pueblo.

Los jefes de El-Kurru comerciaban con Egipto y mantenían relaciones pacíficas con las regiones controladas por Egipto de la Baja Nubia. Hay evidencia de artículos materiales de ambas culturas encontrados por todo el valle del Nilo, lo cual sugiere la existencia de algún tipo de comercio. Durante el siglo VIII, la influencia del reino de Kush se extendió hasta la segunda catarata del Nilo, donde terminaba la autoridad egipcia en el sur. Pero los kushitas no se expandieron solo hacia el norte. El sur demostró ser de igual interés, pues allí se comerciaba con el resto de África. Parece que el comercio con Etiopía estaba bien desarrollado, ya que se encontraron artículos hechos de marfil y lapislázuli en las tumbas de los jefes kushitas de El-Kurru.

Lamentablemente, algunas regiones carecen de pruebas que hablen de su historia antes de la unificación con el resto de los reinos Kush. Una de estas regiones es Butana, que no era parte de Egipto, ya que los kushitas se anexaron a mediados del siglo VIII. Esto sugiere que la región era independiente, pero no hay evidencia de su historia o cultura. El asentamiento de Meroe contiene algunas tumbas de los jefes de El-Kurru, fechadas antes del período de anexión. Esto indica que la conexión entre la región de Kush y Butana era de fecha mucho más temprana. Meroe se convirtió en el centro político de la región después de la conquista de la dinastía de El-Kurru. Existe evidencia de un matrimonio entre la dinastía de El-Kurru y los príncipes locales de la región Butana, lo que habla a favor de una unificación pacífica en lugar de una conquista. La población de habla meroítica de la región Butana fue culturizada por los El-Kurru egipcios en unas pocas generaciones.

La Vigésima Quinta Dinastía y el Reino de Kush

La dinastía El-Kurru extendió su autoridad desde la región de Butana en el sur hasta la Baja Nubia en el norte a mediados del siglo VIII. En este punto, surgió el primer rey registrado del reino de Kush. Se llamaba Alara, y gobernaba un estado complejo. La religión egipcia era aceptada entre los líderes kushitas hasta cierto punto. Sin embargo, Alara colocó a su hermana como sacerdotisa de Amón, estableciendo el primer culto oficial de una deidad egipcia. Se especula que el comercio de oro y animales exóticos permitió a los kushitas pasar de un cacicazgo a convertirse en un reino complejo. Gracias a su posición geográfica, el cacicazgo de El-Kurru tenía una ventaja sobre el resto de los estados nubios y demostró ser el líder competente de la unificación.

Este período del reino de Kush se conoce como el período de Napata porque el reino se centró en la ciudad de Napata. Sin embargo, se desconoce cuándo y cómo el reino de Kush se erigió alrededor de Napata, ya que no existen pruebas escritas o arqueológicas. El sucesor de Alara fue Kashta, y se cree que los dos reyes kushitas eran hermanos; sin embargo, es solo una teoría, ya que no hay pruebas concretas de tal afirmación.

Kashta estrechó la relación entre el reino de Kush y Egipto. Las pruebas sugieren que Kashta impuso su autoridad sobre el Alto Egipto de forma pacífica. Los descendientes del faraón Osorkon III se retiraron de Tebas para dar cabida al creciente poder del rey kushita, pero siguieron disfrutando de un alto estatus social en la ciudad e incluso fueron enterrados allí. Kashta también logró colocar a su hija, Amenirdis I, en la posición de la Divina Adoratriz de Amón, sucesora de la posición de la Esposa del Dios de Amón. Este título pertenecía anteriormente a la hija del faraón Osorkon III, Shepenupet I. El nombramiento de la hija de Kashta sirvió para probar la legitimidad del reinado de los sucesores de Kashta en el Alto Egipto. El nombramiento de la Divina Adoratriz de Amón simbolizaba la transición de poder de un faraón a otro. En este caso, el nombramiento de la hija de Kashta significaba que él era el siguiente en la línea para convertirse en faraón. También significaba que la dinastía que comenzaba con Kashta era legítima, pues estaba aprobada por el dios Amón. Amenirdis I garantizaba que los sucesores de Kashta serían gobernantes legítimos de Egipto.

¿Pero por qué los príncipes tebanos aceptaron la alianza con los kushitas del sur y el eventual cambio de poder? Se debió al hecho de que el ya fragmentado estado egipcio enfrentaba una invasión de los caciques libios. El reino de Kush ayudaría a proporcionar la seguridad de sus fronteras meridionales. Sin embargo, no hay fuentes que ofrezcan una visión de los logros del rey Kashta. No se sabe nada de sus actividades, ni en el reino de Kush ni en el Alto Egipto. Napata sigue siendo un rico sitio arqueológico, y quedan artefactos por excavar. La culturización egipcia de los kushitas continuó bajo su gobierno e incluso se intensificó. La evidencia se encuentra en la región sur de Butana, donde se excavaron ataúdes de estilo egipcio en las tumbas. Durante el siglo siguiente, los kushitas adoptaron la alfabetización egipcia y la utilizaron para articular la ideología de poder de los kushitas. Sin embargo, las estructuras sociales tradicionales de los kushitas siguieron existiendo, y de hecho coexistieron con las relaciones y conceptos sociales egipcios.

Kashta probablemente murió en el 747 a. C. y fue enterrado en la necrópolis de El-Kurru en una pirámide de estilo egipcio. Fue enterrado con todas las tradiciones egipcias, aunque su tumba fue saqueada en algún momento de la historia. Fue sucedido por Piye, que probablemente fue su hijo, pero la relación entre los dos está por comprobarse.

Como prueba adicional de la culturización egipcia de la élite de Kush, Piye tomó el título de cinco lugares, similar al de Tutmosis III. El faraón Tutmosis III había conquistado Kush, y este nuevo rey kushita, Piye, a su vez, conquistaría Egipto y comenzaría la Vigésimo Quinta Dinastía. Mientras Tutmosis III era coronado en Tebas, el gobernante kushita del Alto Egipto se instaló en Napata, anunciando el cambio político que estaba a punto de ocurrir. En uno de sus discursos reales, que se registró en una estela, Piye afirmó que Amón lo había nombrado rey de Nubia para que pudiera extender la influencia de los kushitas y conquistar Egipto. También se anunció a sí mismo como señor absoluto por encima de todos los demás reyes. Sin embargo, en el mismo discurso, declaró que la situación política de Egipto no cambiaría mientras todos sus reyes y jefes reconocieran su supremacía y le rindieran tributo.

Otra estela de Napata hablaba de Piye y su ejército yendo a Tebas a regalar el templo de Amón. La presencia de su ejército sugiere algún tipo de conflicto entre el reino de Kush y Egipto en su cuarto año de reinado, pero podría ser que el rey kushita debiera defender sus fronteras de los Grandes Jefes de Occidente (probablemente una amenaza de Menfis). No hay registros que describan los acontecimientos de los siguientes quince años en el reino de Kush, pero las fuentes asirias hablan de su avance hacia Egipto y del nombramiento de una tribu árabe en Gaza, que sirvió como guardiana de la puerta de Egipto. En Egipto, Tefnakht, Príncipe de Sais, consolidó su poder y fundó la efímera vigésimo cuarta Dinastía durante este período.

Al principio, Piye reconoció la autoridad de Tefnakht, pero cuando el faraón egipcio atacó Hermópolis, Piye ordenó a sus fuerzas kushitas en Tebas que ayudaran a la ciudad después de que sus gobernantes pidieran ayuda. El ejército de Piye desalojó con éxito las fuerzas de Tefnakht y sitió Hermópolis. Piye decidió abandonar Napata y tomar el control personal de su ejército. Triunfó sobre los egipcios y entró en la ciudad de Hermopolis, donde recibió el homenaje de los gobernantes locales. Luego marchó con sus fuerzas hacia Menfis, donde una parte del ejército de Tefnakht se encontraba estacionado. Después de la victoria allí, recibió la confirmación de su gobierno en el santuario de Ptah. En Menfis, el jefe del Ma (región en el Delta del Nilo), Iuput II, se sometió a Piye. A continuación, Piye entró en Heliópolis tras la sumisión de su príncipe, quien reafirmó su reinado en una ceremonia de entronización. Quince gobernantes locales se sometieron a Piye después de esta ceremonia, y Tefnakht se dio cuenta de que debía empezar las negociaciones. Aunque Tefnakht reconoció la autoridad de Piye, siguió gobernando una región independiente del Delta del Nilo occidental. Una vez que Piye regresó a Napata, Tefnakht asumió el título real de nuevo, rompiendo su lealtad a los kushitas.

Piye no se molestó en establecer una administración propia en las regiones recién conquistadas. Quedó satisfecho con reinstalar a los gobernantes locales como encargados del gobierno que pagarían tributo como vasallos. La conquista misma fue registrada en la Gran Estela Triunfal, escrita según las reglas estilísticas literarias egipcias. Por ello, la estela no es un registro preciso y objetivo, pero fue una obra literaria que sirvió para difundir la propaganda del rey Piye. La estela detalla el intento del faraón Tefnakht y su aliado Nimlot, el gobernante de Hermópolis, por unificar el Bajo y el Alto Egipto a través de la conquista, frustrado por los esfuerzos de Piye.

El conflicto concluyó con el rey de Kush como gobernante supremo de Egipto. Aunque se permitió a los gobernantes locales mantener sus títulos de reyes, el título de faraón pertenecía a Piye. No se sabe cuántos años gobernó Piye, pero no hay evidencia de su regreso a Egipto después de la conquista.

El sucesor de Piye, Shabaqo (716-702 a. C.), trasladó la capital de Napata a Menfis debido a la cercana amenaza de los asirios, en ese momento bajo el gobierno de Sargón II. Se desconoce si Shabaqo era hijo o hermano de Piye. Shabaqo intentó aniquilar las dinastías locales, y colocó a Sais y la región de Pharbaitos bajo su control directo. Pero en lugar de deshacerse completamente de los gobernantes locales, los sometió bajo un gobierno centralizado. Los reinos vasallos estaban bajo la autoridad de los gobernantes locales. Sin embargo, esto cambiaría cuando Egipto recibiera el primer golpe de los asirios, tras lo cual las dinastías locales volverían al poder.

Pero durante el gobierno de Shabaqo, Egipto y Asiria tenían términos bastante amistosos. El rey Yamani de Asdod, que se sublevó contra el gobierno de Sargón II, se refugió en Egipto. Sin embargo, Shabaqo no quiso profundizar la animosidad con Asiria, y en el año 712 a. C., decidió extraditar a quien solicitaba asilo para mantener la paz. Después de asegurar la paz, Shabaqo se concentró en fortalecer la posición de su dinastía en la mitad egipcia de su reino. Para lograrlo, nombró a su hijo, Horemakhet, sumo sacerdote de Amón en Tebas. Es posible que Shabaqo sintiera la necesidad de reforzar su autoridad en Egipto porque su sucesión no era patrilineal como exigía la tradición egipcia. Esto significaría que era hermano de Piye. La tradición de los kushitas era diferente, y permitía la sucesión colateral (sucesión por parientes).

Shabaqo murió en el 702 en Menfis, pero su cuerpo fue trasladado a su tumba ancestral en El-Kurru. Le sucedió Shebitqo (705-690 a. C.), su hijo. Aunque Shebitqo fue coronado en Tebas, al igual que su padre, gobernó desde Menfis. Después de todo, fue el lugar donde los primeros reyes de Egipto nacieron y fueron coronados por los dioses, lo cual ayudó a asegurar su legitimidad como faraón.

Existen nuevas evidencias arqueológicas que sugieren que Shebitqo gobernó primero, no Shabaqo, como se pensaba anteriormente. Incluso existe la teoría de que los dos reyes compartieron el gobierno en un momento dado, lo cual causa aún más confusión a los historiadores. La disputa sigue en curso, ya que al parecer las pruebas escritas y arqueológicas no coinciden. La conclusión más reciente es que Shebitqo gobernó antes que Shabaqo. Una de las pruebas más convincentes es el estilo de las pirámides. Mientras que las pirámides de Shebitqo se parecen más a las de Piye, las de Shabaqo son más parecidas a las de Taharqo, quien gobernó después de estos dos reyes. Si el estilo de las pirámides cambió gradualmente (teoría apoyada por otras evidencias arqueológicas), entonces Shabaqo seguramente gobernó después de Shebitqo. Este libro sigue una guía escrita por Lazlo Torok, experto en Kush, quien cree que Shabaqo gobernó primero.

Después de la sucesión, Shebitqo convocó al ejército de Kush, bajo el mando de su primo y sucesor, Taharqo. Decidió enfrentarse a los asirios, ahora gobernados por Senaquerib. Supuestamente el ejército egipcio-kushita fue derrotado en el año 701 a. C. en Eltekeh (en el actual Israel) y se vio obligado a regresar a Egipto. Sin embargo, el rey asirio decidió volver a su imperio, lo cual plantea el dilema de quién ganó realmente. Ninguno de los ejércitos continuó la conquista, y esta fue la única acción militar conocida que tuvo lugar durante el gobierno de Shebitqo. Después de su muerte, Taharqo (690-664), el hijo de Piye, se convirtió en rey.

La opinión general es que Shebitqo eligió a Taharqo como heredero aparentemente debido a la amenaza asiria, pues los otros representantes masculinos de la dinastía eran demasiado jóvenes. Taharqo gobernó con prosperidad durante los primeros diecisiete años. Construyó templos tanto en Kush como en Egipto, los centros de su poder administrativo. El comercio prosperó bajo su gobierno, y se extendió desde Libia y el Levante hasta la costa Fenicia. Sin embargo existe testimonio de algunos conflictos en la lista de cautivos de los principados asiáticos. Una inscripción encontrada en el templo de Sanam enumera a los pueblos conquistados, e incluye a los libios, lo cual podría sugerir que no fue el comercio sino los conflictos militares el origen del contacto entre ambos reinos.

En el 674 a. C., el próspero gobierno de Taharqo fue desafiado cuando los asirios atacaron Egipto. El rey Esarhaddon de Asiria hizo una alianza con Taharqo, y juntos, conquistaron las tierras de Palestina. Allí, el rey asirio se volvió en contra de su aliado, ya que, a estas alturas se encontraba en la frontera egipcia. Se libraron tres batallas entre Taharqo y Esarhaddon, y aunque los egipcios ganaron inicialmente, los asirios consiguieron apoderarse de Menfis y saquearla. Taharqo se vio obligado a retirarse a Tebas en el sur. Sin embargo, su familia, incluyendo su hijo, fueron capturados. Taharqo lideró numerosas revueltas desde el sur, pero al final, demostró ser un gobernante incompetente que había perdido su próspero y unido reino ante la primera amenaza.

Para sofocar los disturbios causados por las acciones de las rebeliones de Taharqo en Egipto, Esarhaddon partió con su ejército. Sin embargo, murió camino a Menfis en el 669 a. C. Fue sucedido por su hijo Asurbanipal, quien decidió anexar Egipto. Pero Taharqo reafirmó su poder después de la muerte del rey asirio, y Asurbanipal se vio obligado a invadir el reino en 667/666 a. C. En la batalla de Pelusio, situada al este del Delta del Nilo, el ejército egipcio fue aplastado. Taharqo huyó hacia el sur, pero fue perseguido por los asirios hasta Tebas. Desde allí, continuó su carrera al sur, pues no pudo organizar una resistencia. Ashurbanipal logró la sumisión de las dinastías locales del Alto y Medio Egipto. Satisfecho, regresó a su capital en Nínive (Asiria). Taharqo fue reducido a rey de Kush, y permaneció en su reino hasta su muerte en el 664 a. C.

Taharqo fue sucedido por Tanwetamani (o Tantamani, r. 664-656), el hijo de Shebitqo. Durante su reinado, organizó una serie de campañas, con las cuales reconquistó partes del Alto Egipto. Sin embargo, Asurbanipal se enteró de sus planes y envió el ejército de refuerzo asirio para defender sus posesiones. La mayoría de los historiadores coinciden en que la principal razón por la cual Tanwetamani no logró recuperar todo Egipto fue que eligió gobernar desde su capital en Kush en lugar de trasladarse a Menfis, ubicada más cerca del punto de conflicto. Los asirios se apresuraron a retomar todas sus posesiones egipcias, e incluso saquearon Tebas. El dominio nubio de Egipto terminó con la conquista asiria, y Tanwetamani fue limitado a gobernar solo el reino de Kush.

El fin de la dinastía de Napata

El reinado nominal de Tebas permaneció en manos de Tanwetamani, pero nunca regresó al Alto Egipto. El Delta del Nilo fue gobernado por Psamtik I (664-610 a. C.), vasallo asirio fundador de la Vigésimo Sexta Dinastía. Al elevar a su hija a la posición de Divina Adoratriz, extendió con éxito su influencia sobre el Alto Egipto. Así, Egipto se reunificó. Psamtik I ganó Tebas a través de la diplomacia con los kushitas, y Tanwetamani se retiró a Napata.

Las relaciones entre Egipto y el reino de Kush continuaron su desarrollo debido al aumento de la demanda de comercio internacional. Aunque no hay pruebas del importe de productos de Nubia a Egipto, las excavaciones de los kushitas están llenas de artículos de origen egipcio. Incluso existen pruebas de conflictos entre ambos estados en la zona de la Baja Nubia y el mar Rojo. Estos conflictos probablemente se organizaron contra las tribus nómadas de trogloditas en el esfuerzo de Egipto por establecer el control de las rutas comerciales.

Durante las siguientes décadas, la relación entre Egipto y el reino de Kush permaneció hostil, a pesar de sus conexiones comerciales, y siguió así durante los reinados de los siguientes tres reyes nubios: Atlanersa, Senkamanisken y Anlamani. La evidencia arqueológica y textual del estado político del reino de Kush durante este período es escasa. Sin embargo, uno de estos gobernantes decidió cambiar la tradición de enterrar a los miembros de la casa real en El-Kurru después de fundar una nueva necrópolis en Nuri, donde los futuros reyes serían enterrados.

En 593 a. C., el faraón Psamtik II envió una expedición a Nubia, y aunque se desconoce la razón de sus acciones, se sospecha que quería mejorar control sobre la Baja Nubia para asegurar las rutas comerciales. Pero la posibilidad de que quisiera conquistar a los kushitas no puede ser excluida. Se cree que esta campaña egipcia llegó a Napata. No hay evidencia que sugiera el resultado inmediato del conflicto, pero después de este punto, los kushitas ya no fueron bienvenidos en Egipto. Comenzó la erradicación sistemática de todo lo kushita, y las estatuas, nombres e inscripciones de la Vigésimo Quinta Dinastía fueron destruidas. Al parecer Egipto quería eliminar el reino de Kush de su historia.

La campaña de Psamtik II probablemente ocurrió durante el reinado del rey de Kush, Aspelta (600-580 a. C.) Su reinado fue ensombrecido por un terrible crimen en Napata. En el templo de Amón, los nombres y una figura del rey fueron borrados de dos estelas, la de la Elección y la del Destierro. Aspelta erigió estas estelas en los dos primeros años de su reinado. El rostro de la reina madre también fue borrado, junto con las figuras de los ancestros femeninos de Aspelta. Esto podría significar que la legitimidad de Aspelta para el trono fue cuestionada y que el problema estaba en la línea de sucesión femenina. Los eruditos solo pueden especular sobre quién lo hizo y por qué, pero la opinión general es que Aspelta usurpó el trono de un pariente mayor.

No existen inscripciones reales fechadas en el período entre Aspelta e Irike-Amannote, quien gobernó a finales del siglo V a. C. Solamente los hallazgos arqueológicos de los cementerios de los reyes y reinas en Nuri permiten conocer este periodo de 150 años. Sin embargo, estas tumbas fueron saqueadas gravemente, y no quedan suficientes elementos que arrojen pistas sobre la situación política de la época o sobre las relaciones con Egipto. La impresión general de la decadencia política y económica del reino se ve reforzada por la falta de documentos reales, monumentos y edificios del período. Sin embargo, la continuidad política se manifiesta en los diez reyes consecutivos, que vivieron entre los siglos VI y V a. C. Todos fueron enterrados en Nuri en pirámides de estilo egipcio, lo cual significa que nunca abandonaron la religión mortuoria adoptada.

El gran historiador griego Heródoto escribió sobre la tierra meridional de Kush en su obra, fechada entre el 450 y el 430 a. C. La describió habitada por pueblos nómadas, cuyos gobernantes producían grandes cantidades de oro, elefantes enormes, varios tipos de árboles y ébano. Según él, los etíopes o kushites eran muy altos, guapos y longevos. De acuerdo con Heródoto, todas las tierras del sur de Egipto pertenecían a Etiopía, y su capital era la ciudad de Meroe. El hecho de que Heródoto escribiera sobre Kush de esta manera indica que Egipto cambió de política con sus vecinos del sur. Durante el reinado de Ahmose II, se restablecieron las relaciones comerciales, y el reino de Kush envió marfil como tributo. Esto nos lleva a la conclusión de que Psamtik II pudo tener éxito al afirmar su autoridad en la región.

Durante el gobierno del rey persa Cambyses II (530-522 a. C.), el reino de Kush quedó bajo dominio persa. Conquistó Egipto en 525, y en el mismo año, invadió Nubia, y conquistó las tierras hasta la ciudad de Meroe. Incluso Jerjes I (486-465) menciona a los kushitas como un pueblo al que gobernaba. Los escritos de Heródoto sustentan este hecho pues habla de los guerreros kushitas como parte del ejército de Jerjes. Caundo los egipcios comenzaron a organizar revueltas contra el dominio persa alrededor del 486 a. C., los reyes kushitas vieron la oportunidad de recuperar los territorios entre la primera y la segunda catarata del Nilo. Aunque el dominio egipcio sobre aquellos territorios cesó a finales del siglo V, no existen pruebas de avances militares de los kushitas. Sin embargo, los kushitas tenían cierta autoridad sobre las tribus nómadas habitantes de las tierras entre el Nilo y el mar Rojo. Este período del reino de Kush fue marcado por el largo reinado de Irike-Amannote (o Amanineteyerike), pero no se sabe con certeza si condujo sus ejércitos al Alto Egipto o si solo tomó el título de *Nebty*, «Apoderado de la Tierra», para mostrar sus intenciones de invadir Egipto.

Irike-Amannote fue sucedido por Baskakeren, quien gobernó un corto período. Harsiotef fue el siguiente, probablemente hijo de Irike-Amannote. Una de las estelas del templo de Amón en Napata dedicada a Harsiotef afirma que consiguió nueve victorias militares durante los primeros treinta y cinco años de su reinado. Sus campañas registraron conflictos con los Butana, los pueblos del desierto, la Baja Nubia y Meroe. En la Baja Nubia, probablemente luchó contra los rebeldes que se oponían a su reinado, mientras que en otras zonas, habría luchado sobre todo contra las tribus nómadas. La lista de conflictos registrados indica que, en esa época, la autoridad de los Kush se extendía por el territorio entre la segunda y la primera catarata del Nilo. La nota junto al registro de la victoria de la Baja Nubia dice que los rebeldes se retiraron a Egipto, lo cual sugiere la participación de Egipto para recuperar el control de aquellos territorios.

Harsiotef fue sucedido por un rey sin nombre, cuyos esfuerzos por devolver los entierros reales a El-Kurru sugieren algún tipo de lucha dinástica. No se sabe nada de este rey, excepto que su sucesor, Nastasen, regresó los entierros a Nuri, restaurando el orden dinástico. El período correspondiente al siglo IV permanece muy oscuro, y no sobreviven registros que arrojen luz sobre los eventos en el reino de Kush. Sin embargo, desde la perspectiva egipcia, queda mucho por descubrir. Durante el reinado de la trigésima dinastía, en el 343 a. C., para ser más exactos, los persas regresaron y conquistaron el país. El faraón Nectanebo II se vio obligado a huir al Alto Egipto, donde recibió el apoyo de los kushitas y permaneció en el poder durante los dos años siguientes. Pero a continuación llegó Alejandro Magno, conquistó Egipto en el 332 a. C. y comenzó la dinastía ptolemaica, la cual trató de apoderarse del reino de Kush en más de una ocasión. En el 319/18, Ptolomeo I lideró un ataque a la Baja Nubia, pero su éxito no está registrado. Egipto debió sufrir problemas dinásticos internos, pues en ese momento, los kushitas vieron la oportunidad de acosar sus fronteras.

En el 274 a. C., Ptolomeo II lanzó una expedición a la Baja Nubia, probablemente con la intención de asegurar las rutas comerciales a lo largo del Nilo entre Egipto y el reino de Kush. Los gobernantes macedonios de Egipto estaban acostumbrados al uso de elefantes de guerra importados de la India. Sin embargo, dada la distancia era imposible importarlos, por lo cual Ptolomeo necesitaba una nueva fuente de su animal de guerra favorito. Las únicas regiones con elefantes eran las del sur del reino de Kush. Pero los kushitas no sabían capturar y entrenar elefantes de guerra, y necesitaban ayuda de expertos egipcios. Sin embargo, al existir formas diplomáticas para lograr el comercio de elefantes, la razón más obvia de la expedición de Ptolomeo a la Baja Nubia eran las minas de oro. Egipto derrotó al reino Kush, y la Baja Nubia fue anexada. Sin embargo, los kushitas fueron compensados por la derrota con lucrativos acuerdos comerciales y el renacimiento cultural subsiguiente. Egipto volvió a establecer contacto cultural e intelectual con el reino de Kush.

La dinastía Meroítica y el fin del reino

Los nuevos acuerdos comerciales con Egipto trajeron prosperidad a las regiones meridionales del reino de Kush. Desde allí, animales exóticos y otros bienes se exportaban a Egipto y al resto del mundo conocido. Sin embargo, con la fuerza económica de las regiones del sur del país, un cambio dinástico era inevitable.

El rey Arkamaniqo (Arkamani), quien gobernó en el siglo III a. C., transfirió la capital de Napata a Meroe. El historiador griego Diodoro Sículo registró una conspiración del sacerdocio sureño para remover a Arkamaniqo del trono de Kush, pero dado su conocimiento de la filosofía griega superó los problemas y masacró a los sacerdotes que deseaban su muerte. La historia de la llegada del rey Arkamaniqo al sur para deshacerse de los sacerdotes es solo una alegoría del traslado de la capital y el cambio dinástico. En realidad, Arkamaniqo solo trasladó el lugar de entierro real a Meroe. Sin embargo, era de origen sureño, y la elección de su nombre titular surgió de Ahmose II, quien nunca ocultó que usurpó el trono, lo cual condujo a la creencia de que el propio Arkamaniqo era un usurpador; de ahí el cambio dinástico. El nuevo rey usurpador probablemente formaba parte de la nueva y rica sociedad de élite de Meroe, y debido a sus orígenes, la dinastía que fundó se conoce como la Dinastía Meroítica. La nueva dinastía trajo prosperidad al reino, y aunque el sur era de especial importancia debido a su potencial comercial, el reino, en su conjunto, se desarrolló exponencialmente. Meroe y la región de Butana se convirtieron en centros de templos administrativos, pero el hecho de que el sucesor de Arkamaniqo, Amanislo, continuara construyendo y desarrollando Napata sirve como prueba de que esta ciudad continuó siendo la sede de los reyes.

Gracias al aumento del comercio entre el reino de Kush y el Egipto ptolemaico, las dos culturas se influenciaron mutuamente. Sin embargo, surgió una nueva tendencia en el arte del reino de Kush. Debido al contacto griego con Egipto, las características del arte helenístico comenzaron a aparecer en la ideología religiosa de kush, su arquitectura e iconografía. Pero los kushitas también fueron influenciados por el estilo del arte africano, principalmente debido a la supremacía económica del sur. Esta nueva tendencia africana enriqueció el arte del Egipto ptolemaico y continuó expandiéndose hacia el mundo helenístico en general.

El primer conflicto entre Egipto y el Kush Meroítico ocurrió a finales del siglo III cuando el Alto Egipto se rebeló contra el gobierno de Ptolomeo IV, el filósofo. Los kushitas vieron la oportunidad de capturar la Baja Nubia, que permaneció en sus manos desde el 207 hasta el 186 a. C. Tomaron la Baja Nubia entre la primera y la segunda catarata. Al parecer no tenían intención de ir más lejos. Solo querían recuperar sus tierras. No se encontraron guarniciones militares más allá de la primera catarata, y ninguna fuente conservada menciona ninguna intención de conquistar Egipto. En 185, Ptolomeo V Epífanes aplastó la rebelión y extendió su reino al valle del Nilo, recuperando las tierras entre la primera y la segunda catarata.

Durante la revuelta y su sofocamiento, el comercio entre el reino de Kush y Egipto sufrió. Las exóticas mercancías africanas no fluyeron al Nilo para ser vendidas al mundo helenístico. A principios del siglo II, Egipto cesó las expediciones de caza de elefantes de guerra africanos. Volvieron a importarlos de la India. Sin embargo, hay evidencia de algunos esfuerzos diplomáticos. Aunque los egipcios recuperaron la Baja Nubia, los locales no fueron castigados por su papel en la rebelión. En cambio, se integraron pacíficamente a la administración egipcia. La élite nubia incluso fue recompensada con posiciones dentro del gobierno. La población estaba subordinada a estos funcionarios gubernamentales nativos, en quienes los ptolomeos confiaban plenamente.

En las regiones centrales del reino de Kush, se gestaba una nueva ideología religiosa y de gobierno. Para asegurar la legitimidad de la nueva Dinastía Meroítica, Amón se transformó en una deidad guerrera de los cazadores del desierto. La influencia de la región africana de Butana es evidente, pues la nueva familia real se originó en aquel lugar. Aunque las vestimentas reales permanecían influenciadas por las ptolemaicas, también se incorporaron componentes tradicionales con un significado ritual. Por ejemplo, los dispositivos de sujeción de los reyes de Kush se asociaban ahora con los dioses nubios Sebiumeker (fertilidad) y Arensnuphis (caza), y no con el dios guerrero egipcio Onuris.

Al parecer la nueva Dinastía Meroitica quería separarse aún más de la antigua que había gobernado Egipto, pues también inventaron nuevas escrituras jeroglíficas y cursivas. La escritura cursiva constaba de solo veintitrés símbolos, y se desarrolló para fines económicos y administrativos de la élite y las clases sociales medias. Esto significa que la alfabetización ya no estaba reservada a los reyes y sacerdotes. Todo el mundo podía usar la nueva escritura cursiva, y se cree que incluso las esposas y los hijos de los ciudadanos kushitas también la aprendieron.

El primer nombre descubierto en los jeroglíficos meroíticos pertenece a la reina Shanakdakheto. Al principio, los eruditos pensaron que era un varón, pues es la única gobernante en el trono de Kush, pero posteriormente los descubrimientos de su tumba indicaron que era una mujer. Shanakdakheto gobernó a finales del siglo II a. C., pero se desconoce su relación con la familia real. Shanakdakheto fue también la primera reina conocida en gobernar el reino de Kush, y la siguiente apareció al menos 100 años después. En la iconografía que se le dedica, se la representa con la corona de plumas de los reyes Kush y las prendas reales de tres partes. La iconografía demuestra su legitimidad y su poder. En una de las representaciones, aparece acompañada por una figura masculina, vestida de colores más claros, con una diadema ordinaria en su cabeza, lo cual simboliza que no era parte gobernante de la familia.

Durante el siglo I a. C., el reino meroítico de Kush se vio envuelto en un conflicto con Roma, que acababa de conquistar Alejandría y Egipto tras el suicidio de la reina Cleopatra VII. Se cree que el reino Meroítico ayudó a propósito al Alto Egipto a organizar una revuelta contra el dominio romano para desestabilizar la región y apoderarse de la Baja Nubia hasta la primera catarata del Nilo. Sin embargo, el resultado fue devastador, pues el ejército romano entró en Kush después de lidiar con la revuelta en Egipto. Roma conquistó la Baja Nubia y le dio el estatus de cacicazgo vasallo. El plan era conquistar todo el reino de Kush en el futuro y anexar el estado meroítico. Sin embargo, la oposición de Meroe fue demasiado grande, y el Emperador Augusto tuvo que abandonar sus planes de anexión.

No obstante, unos años después, Augusto planeó dos grandes expediciones. Cayo Petronio fue elegido nuevo prefecto de Egipto, quien dirigiría el ataque al reino de Kush. Sin embargo, los nubios actuaron antes de la expedición. Cruzaron la primera catarata y atacaron ciudades egipcias, tomando prisioneros y derribando estatuas del emperador romano Augusto. El ataque meroítico ocurrió en algún momento del 25 a. C., y la expedición romana a Nubia, que sirvió de contraataque, ocurrió en el invierno del 24 a. C.

En ese momento, el rey kushita Teriteqas, quien dirigía el ejército de apoyo desde el sur, murió repentinamente, y el reino quedó bajo la dirección de la reina Amanirenas, identificada como la hermana del rey anterior. En los textos romanos y griegos, se la llama «Reina Candace», la forma latinizada de «Kandake», pero este término solo se refiere a la hermana del rey. La Dinastía Meroítica era matrilineal, lo cual significa que los herederos nacerían de los parientes de sangre del rey, no de su esposa; por lo cual los kandakes tenían una posición importante en la sociedad.

Cayo Petronio avanzó con su ejército hasta Napata, donde ignoró la oferta de paz de Amanirenas, tomando esclavos y destruyendo la ciudad. Sin embargo, por alguna razón desconocida, Petronio no continuó con la conquista de Nubia y regresó a Egipto.

La pérdida de Napata no disminuyó la voluntad de los kushitas de luchar contra Roma. La reina Amanirenas ordenó un ataque a una guarnición romana estacionada en la frontera, pero Petronio regresó rápidamente con refuerzos, forzando a los nubios a aceptar las negociaciones. Las conversaciones de paz se llevaron a cabo en la isla de Samos en el invierno del 21/20 a. C. La conclusión fue la remisión de impuestos para el reino de Kush, así como el establecimiento de una frontera entre Egipto y Kush en Hiera Sycaminos (hoy El-Maharraqa).

Después de la reina Amanirenas, el trono fue ocupado por otras dos gobernantes femeninas, las reinas Amanishakehto (c. 10 a. C.-1 d. C.) y Nawidemak (principios del siglo I). Las tres gobernantes femeninas consecutivas pueden indicar algún problema dinástico en el reino, pues no era habitual que las mujeres heredaran el trono. Pero durante el gobierno de estas reinas, los kushitas se las arreglaron para recuperarse del conflicto con Roma. Una vez más, el reino de Kush entró en un período de prosperidad, que se reflejó en la construcción de extensos templos y el aumento de la calidad de su arte. Con la reapertura del comercio y las exitosas misiones diplomáticas que tuvieron lugar, la influencia egipcia volvió al Estado Meroítico. Incluso la escritura jeroglífica egipcia se utilizó de nuevo.

En el período entre finales del siglo I y mediados del III aumentó el desarrollo de muchos nuevos asentamientos agrícolas, pueblos y estaciones de caravanas. La impresión general es que este período fue pacífico y próspero. Sin embargo, la crisis del Imperio romano a mediados del siglo III se reflejó en el reino de Kush, ya que los problemas económicos y políticos comenzaron de nuevo. El nuevo reino de Axum, en la frontera sur, se estaba haciendo cada vez más poderoso y representaba una verdadera amenaza política para las debilitadas economías de Egipto y Nubia. Las tribus guerreras de Blemmyae y Noba, al este y al suroeste, empezaron a acosar las fronteras del reino.

Las últimas décadas del reino de Kush están poco documentadas. Las tumbas piramidales de los últimos cinco gobernantes muestran signos evidentes de declive económico, pues están menos decoradas. Sin embargo, la continuidad cultural es evidente, ya que incluso las casas construidas en el centro administrativo de Meroe demuestran que el reino sufrió un declive. La gente vivía en habitaciones muy pequeñas, el arte dejó de producirse y las paredes del templo se utilizaron como cementerio. Los diferentes tipos de entierros durante la segunda mitad del siglo IV sugieren el surgimiento de una nueva cultura, que habría coexistido con la Dinastía Meroítica. Parece que el reino de Kush fue repentinamente ocupado por una nueva población con una estructura cultural, política y social completamente diferente. Se sabe que la nueva población era una sociedad tribal constituida por una élite guerrera y pastores de ganado seminómadas. Aunque no se sabe con certeza de qué tribu se trataba, es posible que fueran los Noba, originarios de las orillas occidentales del Nilo.

El último gobernante conocido del reino de Kush fue la reina Amanipilade (r. 308-320), pero el reino continuó durante varias décadas después de su muerte. La dinastía Meroítica desapareció después del ataque del reino de Axum, que saqueó la ciudad de Meroe. Otros asentamientos en el área sufrieron un destino similar cuando los Butana perdieron su papel de centro administrativo y comercial del reino. Aún se desconoce lo sucedido al reino de Kush, pero la caída económica y la evidencia de la guerra con el nuevo poder de la región, Axum, sugieren que más de un factor causó su desaparición. El vecino Egipto comenzó a adoptar el cristianismo, y como resultado, los nubios fundaron tres reinos cristianos más pequeños en su territorio después de la disolución del reino de Kush: Nobatia, Alodia y Makuria.

Capítulo 2 - La Tierra de Punt

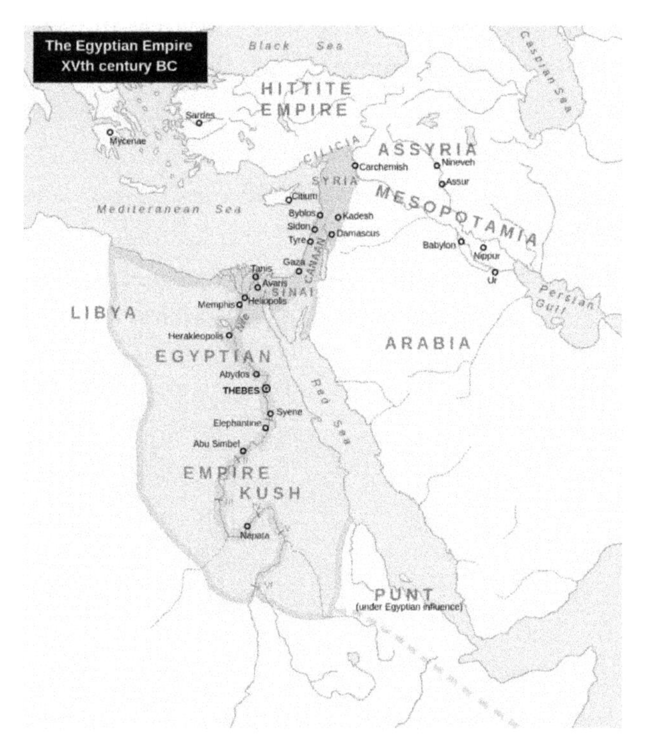

La supuesta ubicación de Punt

https://en.wikipedia.org/wiki/Land_of_Punt#/media/ File:Land_of_Punt.png

Un antiguo reino africano cuya ubicación permanece en el misterio, la Tierra de Punt, solo puede observarse a través del lente egipcio, su socio comercial. La existencia de Punt llega a la historia únicamente mediante las descripciones y representaciones de los antiguos textos y relieves de los gobernantes egipcios. La importancia de este misterioso reino es obvia, pues los grandes faraones lo llaman *Ta netjer*, «la tierra de los dioses». Los eruditos de hoy en día interpretan el nombre *Ta netjer* de dos maneras muy diferentes, lo que arroja algo de luz sobre dónde se encontraba Punt. Los egipcios podrían haber llamado a este reino «la tierra de los dioses» porque era su hogar ancestral, donde el dios Amón instauró la primera dinastía gobernante de Egipto. También podría interpretarse como la tierra del este, donde el dios sol sale. La probabilidad de la segunda teoría es mayor, ya que Egipto también se refirió al Líbano, otro país oriental, como «la tierra de los dioses».

La ubicación y el pueblo de Punt

Existen varias teorías acerca de la ubicación de la Tierra de Punt: Marruecos, Zambeze, Mauritania, etc. En realidad, nadie sabe dónde se hallaba la famosa tierra mítica. Todo cuanto se sabe sobre Punt proviene de fuentes egipcias, que no describen la posición geográfica del reino. Sin embargo, sí describen los diversos bienes importados de Punt. Con base en ello, los estudiosos han concluido que la ubicación más probable de este antiguo reino está en el Cuerno de África.

Los textos egipcios enumeran productos importados desde Punt como marfil, ébano, oro, materiales de maquillaje, nafta, varios animales exóticos y oro. Sin embargo, los artículos más importantes eran resinas aromáticas y maderas, como la mirra y la canela. Estos artículos sugieren que la misteriosa tierra del este podría hallarse en algún lugar de Arabia. Sin embargo, otros hallazgos disputan esta teoría. Los arqueólogos encontraron una lista de los socios comerciales de Egipto en el templo de Karnak. La lista se remonta al faraón Tutmosis III (1479-1425 a. C.) de la XVIII dinastía, y en ella se enumeran los reinos y sus ubicaciones geográficas: Kush, Wawat, Punt, Mejay y Khaskhet. Todos estos reinos fueron localizados en África, y su ubicación geográfica sugiere que Punt era el reino más meridional que bordeaba el mar Rojo. Esta ubicación es el Cuerno de África hoy en día.

La importancia de los bienes importados de Punt ahora se hace evidente. Estos artículos, especialmente las maderas aromáticas, se originaban en la región del Cuerno de África. Pero la madera también podía ser importada de Arabia Felix (Arabia del Sur), y este hecho hizo que los eruditos se preguntaran si el reino de Punt podría haberse extendido hacia ambas orillas del mar Rojo. Esta teoría ubicaría a Punt en la actual Eritrea y Yemen. Más tarde, los científicos realizaron una prueba de ADN al pelo de babuino momificado encontrado en Egipto, originario del misterioso reino de Punt. Encontraron que el perfil de ADN corresponde al de los babuinos somalíes. Debido a este descubrimiento, los historiadores creen que la Somalia actual fue una vez parte de este antiguo reino.

El descubrimiento de una estela de la vigésimo sexta dinastía en la antigua fortaleza de Daphnae, cerca de Qanṭarah en el noreste de Egipto, desplazó el foco de atención de los estudiosos de Arabia a África. En una inscripción, la estela dice que si llueve en las montañas de Punt, el Nilo se inunda. Esto significaría que las montañas de Punt serían las Tierras Altas de Etiopía, por su influencia drástica sobre el Nilo. Desde el descubrimiento de esta estela se han encontrado unas cincuenta inscripciones y grabados más con referencia a la Tierra de Punt. Ninguna menciona su ubicación exacta. Sin embargo, evidencian que Punt tenía salida al mar, ya que los egipcios viajaban en barco hacia Punt.

Una inscripción que data de la Sexta Dinastía cuenta la historia del faraón Pepi II Neferkare (c. 2278/2269-2184/2175 a. C.), quien envió una expedición para recuperar el cuerpo de un funcionario del estado. El funcionario fue asesinado en el desierto del norte por las tribus beduinas mientras supervisaba la construcción de un barco que debía zarpar hacia la Tierra de Punt. Este descubrimiento no solo confirmó que los egipcios viajaban a Punt mediante el mar, sino que también confirmó que era el mar Rojo debido a la mención del desierto del norte (asiático). Otra inscripción que se descubrió más tarde confirma esta teoría. Esta inscripción está fechada en el reinado del Faraón Mentuhotep III (2010-1998 a. C.), y habla de otra construcción de una nave que fue designada para llegar a Punt por el mar Rojo.

Además de las antiguas inscripciones que nos hablan de las diversas expediciones egipcias a Punt, existen representaciones de las mismas en los templos. Una fue descubierta en el templo funerario faraónico de Hatshepsut (1479-1458 a. C.) en Deir el-Bahari. Según las representaciones del nacimiento de la reina Hatshepsut, su madre se despertó debido al olor del incienso de la Tierra de Punt. Otra representación en el mismo templo muestra una expedición egipcia a Punt. El relieve muestra la flora y fauna característica de dicha tierra. Una de las plantas más reconocibles es la palmera dum, que, incluso hoy en día, crece en toda la costa somalí. La concentración de estos árboles es mayor al sur. Para los egipcios, la palma de dum es una planta sagrada, y no es de extrañar que quisieran importarla directamente de la «tierra de los dioses».

Otros relieves del templo de Hatshepsut muestran los animales y la gente de Punt. La conclusión es que los puntitas comerciaban principalmente con ganado de cuernos cortos, esclavos y pieles de animales salvajes. Eran gobernados por su propia familia real, y en la época de Hatshepsut, sus nombres eran rey Parahu y reina Ati. Estos son también los únicos nombres de Punt conocidos hoy en día. El templo de Hatshepsut trató de representar a Punt como una tierra que pagaba tributo a Egipto, pero es muy especulativo, especialmente porque algunos de los relieves muestran los árboles de mirra de Punt cortados por los propios egipcios. Esta es una clara señal de comercio, no de intercambio de regalos o tributos.

Los puntitas celebraban al dios Amón, pero parece que su principal culto era el de la diosa Hathor. Algunos incluso especulan que su culto comenzó en Punt. Una de las inscripciones encontradas en Al-Qusayr en la costa del mar Rojo menciona a Hathor como la amante de Punt. Se referían a todos los bienes importados de Punt, ya sea incienso, esclavos, nafta, ébano, o animales, como regalos de Hathor. Si Hathor se originó en Punt, tendría sentido que esta tierra mística fuera considerada la tierra de los dioses. Hathor era consorte (y madre) tanto de Horus como de Amón-Ra. Los dos dioses eran símbolos de la realeza, y como tal, Hathor era la madre simbólica de los faraones egipcios. Algunos eruditos incluso ven a Punt como la tierra de la que proceden los egipcios. Sin embargo, no hay pruebas que confirmen esta teoría.

Existe una representación del rey Parahu y la reina Ati, seguidos por sus hijos y una hija, visitando Egipto y presentando su respeto a Hatshepsut. La inusual apariencia de la reina Ati atrae toda la atención. Se la representa con un rostro escarpado y un cuerpo extremadamente extraño, que los médicos modernos diagnostican como obesidad glútea y femoral e hiperlordosis. Algunos sostienen otros diagnósticos como la elefantiasis o la esteatopygia. Sin embargo, sin una momia para llevar a cabo una investigación adecuada, los expertos médicos solo pueden teorizar sobre por qué la reina Ati fue representada de tal forma. Una patología recientemente descubierta combina varios diagnósticos, como la neurofibromatosis, la lipodistrofia, el síndrome de Proteo y la obesidad familiar. Esta patología fue nombrada Síndrome de la reina de Punt, ya que la persona que la padezca se vería similar a la representación de la reina Ati. Sin embargo, la reina de Punt es, hasta ahora, la única persona conocida que lo padece.

La flora y la fauna de Punt

Uno de los principales artículos que los egipcios importaban de Punt era el ébano. Se analizaron productos hechos de ébano, como piezas ornamentales o incluso sarcófagos, que se encontraron en las tumbas egipcias, y los resultados confirmaron la sospecha de que su origen era de Punt. La especie particular de madera de ébano encontrada en las tumbas es *Dalbergia melanoxylon.* Este tipo de madera es nativa de Eritrea, Etiopía y Sudán. En Somalia, el ébano es muy limitado hoy en día. Sin embargo, los hallazgos arqueológicos sugieren que la situación era bastante diferente en el pasado. De hecho, en los últimos milenios, la vegetación y la vida animal de Somalia han cambiado drásticamente. Se encontraron los restos de un cocodrilo en el valle de Hargeisa, una zona con un clima único. Aunque hoy en día es una región geográfica seca, no es calurosa. Pero los restos del cocodrilo sugieren que hubo un pantano en la zona en algún momento del pasado. En la zona todavía crece el ébano, conocido localmente como «Kolaati», pero de forma limitada. Si el área fue una vez un pantano, la posibilidad de que el ébano fuera abundante es alta.

El artículo más importante importado a Egipto desde Punt ciertamente era el incienso. La reina Hatshepsut envió una flota de cinco barcos a Punt para buscar esta resina perfumada, ya que era uno de los artículos más importantes en los rituales sagrados egipcios. Ordenó a su gente que trajera no solo la resina sino también las savias vivas de los árboles, para que pudieran plantarse en Egipto. El relieve del templo de Hatshepsut muestra 31 árboles pesados llevados por 4 o 6 hombres. Si los egipcios y los puntitas efectivamente llevaron los árboles a los barcos, la Tierra de Punt debe haber estado muy cerca del mar.

Los textos antiguos, entre los que se encuentra el *Periplus del Mar Eritreo,* especifican la región de Somalia entre Bandar Qasim y el cabo Guardafui como el centro de la producción y exportación de incienso. La antigua ciudad de Oppone, un centro comercial familiar utilizado por egipcios, romanos, griegos, persas e incluso indios, ocupaba esta región. Ya que la ubicación de Oppone corresponde a la probable ubicación de la mística Tierra de Punt, muchos estudiosos creen que eran lo mismo. El *Periplo del Mar Eritreo* atestigua que el incienso de la más alta calidad se producía en el bosque de laureles de Acannae, que se ha identificado como la actual laguna de Alula en el punto más septentrional de Somalia.

Al igual que con la flora de Punt, la fauna está representada en los antiguos relieves egipcios de los templos y las tumbas. Uno de los animales representados que hace creer a los estudiosos que la Tierra de Punt estaba en África es la jirafa. Este animal es específico solo de África, y aunque se importaron a otras tierras, es muy poco probable que los egipcios se hubieran molestado en describir las jirafas de Punt si no fueran nativas de la tierra. Sin embargo, los antiguos textos griegos revelan que las jirafas solían vagar no solo por África sino también por la zona entre Arabia y Siria.

Un animal representado en los relieves ha desconcertado a los estudiosos. En la representación de Punt en el templo de Hatshepsut, encontraron un relieve de un rinoceronte con un solo cuerno. Estos son nativos de las regiones del Himalaya Oriental, mientras que África es el hogar del rinoceronte de dos cuernos. Algunos incluso pensaron que esto era suficiente evidencia para buscar la Tierra de Punt en la India. Sin embargo, el relieve está muy dañado, y no es posible saber si el animal solía tener dos cuernos. También existe la posibilidad de que el rinoceronte de un cuerno habitara algunas zonas de África, pero se extinguiera. Al final, también podría ser solo el error de un artista que no se molestó en añadir un segundo cuerno a la representación del animal.

Otros animales que poblaron la Tierra de Punt fueron peces y animales marinos, entre los que se encuentra la langosta de agua salada. Debido a esto, los estudiosos tienen la confianza suficiente para imaginar Punt como un lugar con acceso al mar. Sin embargo, algunas de las especies de fauna representadas en las paredes del templo pertenecen a hábitats de agua dulce. Pero fue fácil de explicar para los biólogos. Los animales representados son un pez gato y una tortuga de agua dulce. Se ha observado que ambos animales se aventuran al mar ocasionalmente, lo que podría explicar su existencia entre las criaturas de agua marina representadas allí.

Otro animal planteaba un desafío para los egiptólogos. Parece que había una extraña clase de ave importada a Egipto desde Punt. Al principio, pensaron que el pájaro era una grulla. Sin embargo, se veía solamente el dorso del pájaro. Más tarde, se descubrió otro relieve en una pared cercana con la imagen del mismo pájaro, y esta vez, el ángulo era mucho mejor. Debido a las distintivas plumas de la cabeza, el pájaro fue identificado como el pájaro secretario. Se trata de un gran pájaro depredador terrestre (4,2 pies) que, para un ojo inexperto y observado desde un ángulo extraño, podría parecerse a una grulla. El ave es nativa de África y no existe en la región del Nilo.

Pero no solo se analizaron las imágenes de los animales. Aunque los babuinos fueron representados en varios relieves en los templos y tumbas de los reyes y reinas egipcios, los arqueólogos también encontraron restos momificados de babuinos en una de las tumbas del Valle de los Reyes. La pareja de animales fue enviada al Museo Británico, donde fueron examinados genéticamente para averiguar su origen. Los valores isotópicos de oxígeno de los babuinos coincidieron con los de los babuinos vivos nativos de Eritrea y Etiopía, descartando así Yemen y Somalia. Sin embargo, los resultados de las pruebas genéticas repetidas fueron ligeramente diferentes. La conclusión fue que las momias de los babuinos correspondían genéticamente con los babuinos modernos de Somalia, Eritrea y Etiopía.

El pueblo de Punt

En la tumba de Rekhmire, que era el visir del faraón Tutmosis III, se descubrió el Gran Mural de la Procesión, que muestra a los enviados extranjeros rindiendo tributo a Egipto. La fila superior de la pintura muestra a los puntitas con varias personas de piel roja que se parecen mucho a los egipcios. Pero la fila continúa con tres figuras de piel negra y rasgos faciales prognatos. Esto significa que los puntitas eran de ambos tipos, hamíticos y negroides. En el mural, no hay nada sobre el estatus social o legal distintivo de estos tipos de personas, y la creencia general es que todos eran representantes de la misma misión diplomática de Punt. Después de todo, la región donde se cree que la legendaria Punt solía estar todavía es habitada por pueblos nilóticos y hamíticos.

Sin embargo, los estudiosos que piensan que la Tierra de Punt ocupó únicamente la orilla árabe del mar Rojo creen que las figuras nilóticas del mural representan a los esclavos de los puntitas, ya que no hay pruebas de que este tipo de pueblo haya sido nunca indígena de Arabia. Los pueblos nilóticos y bantúes de Eritrea y Etiopía, así como de Somalia, tienen una larga historia de representar el grueso de la clase esclava del Cuerno de África. Hay incluso textos antiguos que describen la captura de esclavos de las zonas fronterizas con el Sudán y la región de los Grandes Lagos de África. Pero esa evidencia no es suficiente para afirmar que los pueblos negroides eran estrictamente la clase de esclava. Hay evidencia textual de la dicotomía racial en el área de Etiopía, que data de hace 3.000 años. El texto, que fue descubierto en 2013, describe a los reyes del antiguo reino eritreo de Da'mat como gobernantes de los pueblos rojos y negros.

Pero más tarde, durante el reino de Axum, que se extendía por los territorios de Eritrea y el norte de Etiopía, se acuñaron los términos *saba qayh* (hombre rojo) y *tsalim barya* (esclavo negro). Esto significaría que fue durante el período entre el 100 y el 940 d. C. cuando floreció la esclavitud. Sin embargo, simplemente no existen pruebas para sugerir que la imagen social de la Tierra de Punt fuera similar a la del reino de Axum.

Lo que se sabe sobre los esclavos puntitas proviene directamente de los textos egipcios. Varias fuentes conservadas hablan de que Punt exportaba esclavos pigmeos. Harkhuf, el gobernador del Alto Egipto durante el reinado del faraón Pepi II, escribió en su autobiografía que trajo un pigmeo danzante de regalo para el rey niño. Describe cómo adquirió este pigmeo de los puntitas. También recuerda que otro faraón hizo que los puntitas le trajeran un pigmeo danzante en una fecha anterior.

El testimonio de Harkhuf hizo que los arqueólogos se preguntaran de dónde exactamente consiguieron los puntitas esclavos pigmeos. Las tribus pigmeas se habían concentrado en África Central, y parece que los puntitas viajaron al interior del continente para encontrarlos. Las excavaciones realizadas en el área del noroeste de Somalia proporcionaron pruebas de que los habitantes de Punt viajaron a la cuenca del Congo y a las minas de oro de Mashonaland. Allí tuvieron acceso tanto a esclavos como a oro, pero sigue siendo un misterio si los adquirieron por la fuerza o por comercio.

Algunos registros mencionan que el Faraón Pepi II llamó enano a su esclavo pigmeo, lo cual hizo a los historiadores preguntarse si estos esclavos eran solo individuos del Cuerno de África que sufrían de enanismo o si solo eran personas de baja estatura. También es posible que los pigmeos no fueran realmente de África Central, sino más bien un pueblo indígena de Punt. Sin embargo, las investigaciones realizadas en los pueblos modernos de Egipto mostraron un número significativo de haplotipos del linaje paterno B-M60 entre los individuos. Este haplogrupo de ADN se encuentra comúnmente entre los pueblos de África Central, y se concentra significativamente entre los pigmeos. Sin embargo, este haplogrupo de ADN no existe en los restos de los antiguos egipcios o sudaneses, lo que conduce a pensar que los individuos modernos que lo portan son descendientes de los esclavos pigmeos de Egipto.

El nombre étnico de los puntitas en Egipto era bereber, y en el pasado se asumió erróneamente que el término tiene el mismo significado que el de los antiguos bárbaros griegos (es decir, no griegos). Los jeroglíficos que datan de la época de la reina Hatshepsut se refieren a los puntitas como «brbrta», y los estudiosos creen que el nombre no es más que la imitación onomatopéyica de la lengua de Punt. Como los egipcios no podían entender su idioma, para ellos sonaba como la repetición de los sonidos bar-bar o ber-ber. El

Periplus del Mar Eritreo describe las zonas del norte de Somalia, Eritrea y el norte de Sudán como la región donde vivían los «bereberes». Incluso los antiguos griegos se referían a estos territorios como «Barbaria», o «la tierra de los bereberes». En la actualidad, algunas de las ciudades y pueblos del norte del Sudán y del norte de Somalia todavía llevan el antiguo epíteto de *Barbaroi* o *bereber* en sus nombres, como Berbera en Somalia.

¿Orígenes Egipcios?

Aunque los egipcios no hablaban el mismo idioma que los puntitas, existe fuerte evidencia que sugiere relaciones ancestrales entre los dos reinos. Al representar a los individuos de tierras extranjeras, los egipcios siempre hacían figuras más pequeñas o caricaturas. Pero cuando se trataba de la representación visual de los puntitas, los egipcios los pintaban como se pintaban a sí mismos, incluso con ropas similares. La única característica adicional que tenían los puntitas en estas pinturas era una pequeña barba, que era increíblemente similar a las barbas a menudo encontradas en las representaciones de las deidades egipcias.

Otra diferencia entre los puntitas y otras naciones no egipcias era su representación en los textos jeroglíficos egipcios. Había un símbolo muy distintivo que el antiguo pueblo de Egipto utilizaba cuando hablaba de un extranjero o de una tierra extranjera. Siempre que se menciona a Punt, este símbolo está ausente. Esto llevó a la conclusión de que los habitantes de la Tierra de Punt eran vistos como iguales para Egipto, si no como ellos mismos.

Se pueden observar más similitudes de ambas culturas en la religión. Al principio del capítulo, se mencionó la frase *Ta netjer*, «la tierra de los dioses». Los historiadores especulan que esta frase podría significar algo más que la tierra del Este. Las leyendas egipcias ancestrales hablan de una migración desde la costa del mar Rojo. Las leyendas también hablan de que los dioses Horus y Hathor venían de *Ta netjer*. A Hathor a veces se la llamaba la «Dama de Punt».

Otro dios egipcio, Bes, a menudo era representado como una deidad bárbara gigante que comía babuinos. Esos mismos babuinos fueron descritos como provenientes de la Tierra de Punt en los jeroglíficos del templo de Deir el-Bahari. Parece que los egipcios recordaban sus orígenes en Punt. Sin embargo, su asentamiento en Egipto debe haber ocurrido durante algún período remoto, ya que perdieron la capacidad de entender el idioma de Punt. Pero aunque se cree que Hathor vino de la Tierra de Punt, no significa que fuera adorada como una deidad por los puntitas. Sin embargo, en el norte de Somalia, en el sitio de Laas Geel, se descubrió un antiguo arte rupestre que parece representar a la gente de la región adorando a una deidad similar a Hathor, si no la misma. Si la ubicación de la Tierra de Punt estaba en la zona de la actual Somalia, esto podría servir como prueba de que los puntitas y los egipcios compartían conexiones religiosas.

Además de los lazos culturales entre Egipto y Punt, podría haber incluso lazos biológicos. Si la Tierra de Punt estaba en la zona de la actual Somalia, Eritrea, Etiopía, Sudán y la península arábiga, una simple prueba de ADN mostraría conexiones entre los habitantes de todas estas zonas y el pueblo egipcio moderno, como antepasados lineales de los antiguos egipcios.

Pero el ADN de los restos de los antiguos egipcios quizás guarde el secreto de su ascendencia. En 2013, se realizó el primer estudio genético de los restos egipcios. Cinco momias que datan de las últimas dinastías hasta la línea ptolemaica proporcionaron el material de ADN necesario. Una de las momias dio resultados sorprendentes. Mostró la presencia del haplogrupo I, lo cual sugiere fuertemente que su origen es de Asia Occidental. Este haplogrupo es extremadamente raro, e incluso en la antigüedad, solo se hallaba en el 5% de la población total de Egipto. Se concentraba principalmente en el área del reino de Kush. El haplogrupo I es aún más raro hoy en día, ya que solo se han identificado tres individuos que lo portan. Y el hecho impresionante es que dos de los tres individuos que llevan este conjunto genético específico se encuentran en Somalia, mientras que el tercero es de Irán. Se hicieron otros estudios genéticos, y todos ellos mostraron una fuerte conexión entre los antiguos egipcios y los habitantes actuales de Somalia.

Capítulo 3 – Cartago

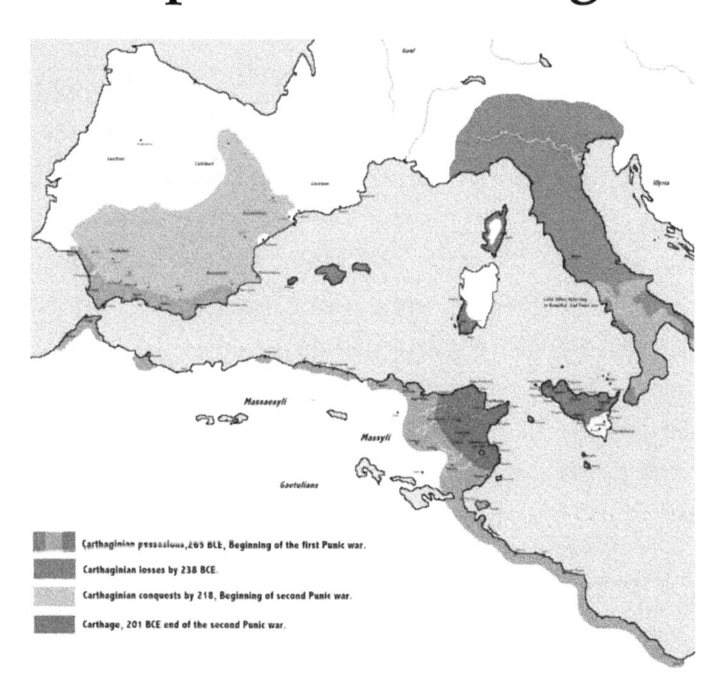

El dominio de Cartago durante diferentes momentos de la historia

https://en.wikipedia.org/wiki/Carthage#/media/File:Carthaginianempire.PNG

Muchas de las grandes ciudades del mundo antiguo han alcanzado tales niveles de fama y prosperidad que tienen historias mitológicas de su fundación. Cartago es una de ellas.

Según las leyendas, en el 831 a. C., el rey de Tiro, Mattan I, decidió en su lecho de muerte dividir su reino entre sus dos herederos. PigMalión, su hijo, recibiría la mitad del reino, y su hija Dido (a veces llamada Alysa) la otra mitad. Según la historia, sus súbditos no estaban contentos con su decisión. Probablemente les preocupaba que la división del territorio bajo dos gobernantes diferentes los llevara al caos y no a la prosperidad, por lo cual protestaron. Así, PigMalión para convertirse en el nuevo rey de Tiro, rápidamente comenzó a eliminar a cuantos tenían el potencial de oponerse a él.

Su hermana, la amenaza más obvia, planeó dejar la ciudad junto a los aliados que pudo reunir para demostrarle que no quería gobernar su mitad del reino. Para convencerlo de que no era una amenaza le pidió que le permitiera vivir en la corte. La única razón por la cual aquello sonaba plausible para PigMalión, era que había asesinado al marido de su hermana, un sumo sacerdote que se oponía a él. Al pedirle permiso para vivir en el palacio después de la muerte de su marido, logró eliminar cualquier sospecha de traición. El rey también lo deseaba porque el traslado de Dido a su corte significaría que traería todo el oro acumulado por su difunto marido. Así que, felizmente, le envió toda la ayuda necesaria para mover sus posesiones y establecerse en el palacio.

Dido había engañado a su hermano. Ordenó a los criados trasladar todas sus pertenencias a un barco. Tan pronto como lo abordaron dejó caer varias bolsas al mar y dijo que era el oro de su marido y otros preciosos tesoros. Luego convenció a los criados de quedarse a bordo y abandonar la ciudad de Tiro con ella, pues de lo contrario el rey los haría matar por perder todo el oro. Todos estuvieron de acuerdo y esperaron a los nobles aliados de Dido en el puerto para zarpar. Una vez que todo estuvo preparado, levaron anclas y navegaron a Chipre.

Al llegar a Chipre, se encontraron con otro aliado, el sumo sacerdote del templo de Astarté (equivalente a Venus o Afrodita). Él prometió lealtad a Dido con la condición de que su título y posición se mantuvieran en su familia para siempre. Llegaron a un acuerdo, y el sumo sacerdote les regaló ochenta de las prostitutas del templo, destinadas a ser esposas de los compañeros de Dido para empezar un asentamiento propio en el futuro.

Los exiliados dejaron Chipre y continuaron su viaje hacia África. La siguiente parada fue Utica, una colonia donde se asentaron algunos ciudadanos de Tiro. Según la leyenda, estaba gobernada por el rey Hiarbas. Dido y sus seguidores fueron bienvenidos al principio, pero cuando quisieron comprar tierra, el rey les permitió únicamente el territorio que pudieran abarcar con una sola piel de buey. Hiarbas era cauteloso, y no quería arriesgarse a dar a los exiliados demasiado territorio. Pero según los mitos, los exiliados cortaron el cuero en una larga franja y lo usaron para abarcar un gran pedazo de tierra. El rey tuvo que cumplir su promesa, y así, el territorio les fue concedido. Este pedazo de tierra pronto se conocería como Cartago. Los registros históricos no son claros sobre las verdaderas circunstancias y el año de la fundación de la ciudad. Las fuentes supervivientes apuntan al período entre el 846 y el 816 a. C.

La ciudad rápidamente se hizo popular pues cada vez más colonos comenzaron a mudarse a ella. El comercio se desarrolló de manera constante al igual que la infraestructura. La prosperidad de Cartago despertó los celos del rey de Utica, quien amenazó con declarar la guerra. Sin embargo, nadie quería una guerra, por lo cual el pueblo exiliado de Tiro obligó a Dido a forjar una alianza a través del matrimonio. Los nobles afirmaron que la ciudad caería en la ruina si Dido la ponía en peligro. Como resultado, Dido no tuvo más remedio que aceptar, aunque con una exigencia. Ordenó a la gente de Cartago que construyera una gran pira para hacer sacrificios a los dioses y mantener el espíritu de su marido en paz con este nuevo matrimonio. El pueblo estuvo de acuerdo. Sin embargo, la primera reina de Cartago tenía otros planes. Tan pronto encendieron el fuego, subió a la pira y se apuñaló con una espada, declarando que se unía a su marido en la muerte.

Por supuesto, la leyenda de Cartago y la reina Dido es imposible de verificar, y es muy poco probable que haya sucedido. Sin embargo, es una historia bastante romántica de amor y traición. La primera fuente que menciona tal historia está fechada tres o cuatro siglos después de la construcción de Cartago, y la primera representación completa del mito proviene de un historiador romano que vivió en el siglo I a. C. Sin embargo, podemos estar seguros de que algunas partes de aquellas historias se basan en hechos porque hay evidencia de la influencia e importancia de los tirios en la ciudad de Cartago.

Los inicios

Una representación de la ciudad de Cartago

https://en.wikipedia.org/wiki/Carthage#/media/File:Carthage_National_Museum_representation_of_city.jpg

El mito que yace en los cimientos de esta ciudad nos dice que los griegos no veían a Cartago como un puesto comercial ordinario o una ciudad sin importancia construida por los colonos. Su nombre original en fenicio era Qart Hadasht, que se traduce como «Ciudad

Nueva». Esto ya es suficiente evidencia para confirmar que no era un asentamiento cualquiera. Al contrario. Cartago se construyó en uno de los lugares más importantes de toda la zona. Se encontraba en la intersección de dos grandes rutas comerciales: una que iba de España al Levante, y la otra a Tiro. También abrió el camino a Italia y a toda Grecia. Había muchos puestos de comercio, mercados y ciudades fundadas en estas rutas comerciales, por lo que Cartago estaba estratégicamente posicionada.

Durante el siglo VIII a. C., Cartago ya era una ciudad renombrada donde el comercio estaba en auge. Se descubrieron muchos objetos griegos e italianos, especialmente cerámica, en el asentamiento. También se encontraron cerámicas originarias de los primeros días de Cartago en Pithecusa (una antigua ciudad de Italia), lo cual demuestra que la ciudad ya exportaba su producción local. Aunque la ruta comercial del norte era la que más tenía oferta, Cartago aprovechó los metales traídos por los comerciantes que viajaban entre el Levante y España, y la ciudad se convirtió rápidamente en un floreciente centro de comercio.

En los dos siglos siguientes, Cartago se desarrolló aún más al convertirse en fabricante de artículos de lujo. Al principio, los artículos de lujo eran traídos desde Egipto y el Levante, pero con el auge de la economía, los comerciantes y artesanos se trasladaron a la nueva ciudad. Esto produjo un rápido aumento de la población, al punto que Cartago ya no podía producir suficientes alimentos para mantenerse. Empezaron a construir colonias en la región para aprovechar las nuevas tierras agrícolas y extraer minerales de las montañas. Toda la región se concentró en sostener y desarrollar Cartago como una potencia económica de gran importancia.

Como Cartago se convirtió en una ciudad próspera gracias a la clase rica de comerciantes y mercaderes, la mayoría de las decisiones políticas y administrativas las tomaban la élite de la clase comercial. Los comerciantes más ricos tenían más influencia. En su momento, los griegos se equivocaron al señalar que la ciudad estaba gobernada por una aristocracia compuesta por varios reyes. El error consistía en que la ciudad no estaba gobernada por una monarquía en ese momento. Los comerciantes más poderosos tenían el control total de la ciudad, incluyendo el ejército, pero no eran reyes.

Se cree que esta confusión se debe al mito fundacional de Dido. La élite usó la historia de la reina sin hijos para legitimar su gobierno oligárquico. Cartago conservó parte de su corazón tirio, pero rápidamente comenzó a forjar su propia historia con el objetivo de convertirse en una rica potencia con su propia forma de hacer las cosas.

El ascenso al poder

El 573 a. C. fue el año de la oportunidad para Cartago, pues el reino de Tiro tuvo que admitir la derrota contra Nabucodonosor, el rey de Babilonia. Tiro estuvo bajo asedio durante trece años, y su única opción era firmar un tratado de paz. Además de la enorme derrota de una de las mayores potencias económicas de la región, hubo otro factor que afectó a toda la zona. Disminuyó el valor de la plata debido al exceso de abundancia. Los territorios del Cercano Oriente producían y exportaban demasiada plata a las costas del Mediterráneo. Esto condujo a una crisis económica, por lo cual muchas colonias del Tiro fueron abandonadas. Con Tiro y muchas de sus colonias en un terrible declive, se abrió espacio para la expansión de Cartago.

La ciudad de Cartago no se vio afectada por esta crisis porque no dependía en gran medida del comercio con el Levante y el resto del Cercano Oriente. Italia y Egipto tenían mayor importancia en el mercado cartaginés. La ruta comercial España-Levante era una importante vía de navegación para los comerciantes de metales, y el tráfico bajó rápidamente, igual que el precio de la plata. A medida que el transporte marítimo del Tirol declinaba y sus colonias fueron abandonadas, Cartago pudo ejercer su dominio.

Algunos historiadores de la antigüedad, especialmente de origen griego y romano, parecen prejuiciosos respecto a los cartagineses, pues trataban de presentarlos como agresivos imperialistas. Sin embargo, la Cartago del siglo VI se basaba principalmente en el comercio. Cerca de la mitad de sus alimentos y otros suministros básicos procedían de las importaciones. Aunque existen algunas señales arqueológicas de problemas en Cerdeña, donde Cartago fundó dos nuevas ciudades, es necesario un toque de escepticismo al observar dicha evidencia. La mayoría de los testimonios de las expediciones militares de Cartago provienen de historiadores romanos que vivieron después de los eventos que narraron. De hecho, la mayoría de las historias de conquista agresiva provienen de la época de las Guerras Púnicas, cuando Roma luchó contra Cartago (264- 146 a. C.) Por lo tanto, la objetividad de los romanos es cuestionable. Las señales de conflicto encontradas en Cerdeña no son concluyentes sobre la conquista cartaginesa del territorio. La isla puede haber sido disputada entre las tribus locales, o por parte de los fenicios que trataron de establecer allí un punto de apoyo.

Las mismas fuentes históricas que describen a Cartago como una potencia agresiva parecen culparla de la caída del reino tartésico, en la actual España meridional. Esta tierra era rica en metales, y debido a su ruta comercial con el Levante, se convirtieron en un importante socio comercial de Cartago. Los cartagineses no habrían sacado provecho alguno de una guerra con ellos, pues se beneficiaban de su sociedad. La caída del reino tartésico se atribuye a la caída del valor de la plata que produjo la crisis económica mencionada anteriormente. La rica aristocracia que gobernó el reino ibérico perdió su principal fuente de riqueza, lo cual ocasionó conflicto y caos. El reino se derrumbó debido a las luchas internas encendidas por una economía gravemente herida, no debido a las invasiones militares.

Una vez creado el vacío de poder por las condiciones de Tiro y el sur de España, Cartago simplemente tomó el papel principal en la economía de la región. Debido a su conflicto con Roma, y a las nuevas colonias cartaginesas establecidas en Cerdeña y en la península ibérica, los historiadores antiguos pueden haberlos visto como invasores empeñados en controlar la región desde el punto de vista económico y administrativo. En cualquier caso, los otros reinos y ciudades-estado cayeron debido a sus luchas internas, y Cartago aprovechó la ocasión para tomar las riendas y forjar su camino.

Expansión en África

Cartago importaba muchos de sus alimentos de otros reinos, pero tras la próspera expansión del siglo VI, empezaron a depender menos de las importaciones. El cambio más drástico se dio cuando se expandieron en África y comenzaron a dominar el norte. En el Túnez actual, desarrollaron una agricultura diversa con un sistema de riego a través de manantiales y canales.

La dieta cartaginesa se hizo mucho más diversa. Consumían varios tipos de granos, verduras, pescado, frutas (como higos, aceitunas, sandías, ciruelas, melocotones y almendras) y una gran variedad de carne, que provenía de cerdos, vacas, pollos, cabras y ovejas. El cartaginés medio tenía una dieta mucho más diversa que los ciudadanos de otros reinos e imperios.

Sin embargo, el mayor cambio se produjo durante el siglo V, cuando continuaron expandiéndose en África, principalmente en la actual Libia septentrional y occidental. Fue entonces cuando Cartago comenzó a convertirse en una renombrada potencia agrícola en la región mediterránea, pues exportaba aceite de oliva y un famoso vino dulce hecho con pasas. En los dos siglos siguientes, Cartago desarrolló muchas técnicas nuevas de cultivo, irrigación, poda, e incluso comenzó a utilizar fertilizantes.

Colonialismo y Conflicto

Durante este período, es decir, entre los siglos VI y IV, Cartago aún no había alcanzado el estatus imperial. A pesar de que estaba extendiendo su poderío colonial en el norte de África y toda la región del Mediterráneo, seguía persiguiendo sus objetivos económicos. A través de su influencia, muchas de las otras colonias fenicias comenzaron a adaptar la cultura cartaginesa, así como el dialecto púnico que se hablaba en Cartago. Estas colonias también comenzaron a abandonar la tradición de cremar a sus muertos e implementaron los entierros, realizados en Cartago.

Cartago continuó expandiéndose construyendo nuevas colonias, a donde se trasladaría su exceso de población. Muchos de los nuevos asentamientos fueron fortificados para servir como mercados seguros para los comerciantes que viajaban entre los asentamientos agrícolas. Esta expansión incluyó a Cerdeña, donde la agricultura se desarrolló para adaptarse a la economía del nuevo reino púnico.

Las relaciones entre Cerdeña y Cartago no aportaron más que prosperidad, ya que se construyeron nuevos e imponentes edificios de oficinas y administrativos en las ciudades sardas. Sin embargo, Cartago no gobernó directamente la isla. Todas las ciudades de Cerdeña tenían su propio sistema de gobierno, y la influencia de Cartago era estrictamente económica y cultural.

Mientras el desarrollo avanzaba con Cartago en la isla de Cerdeña y se construían nuevas y fructíferas empresas, se envió una expedición militar a la isla de Sicilia en el año 483. Las tropas fueron enviadas a petición del gobernante de la ciudad de Himera, Terilo, quien fue exiliado de su ciudad por una fuerza invasora de Siracusa. Siracusa era otra ciudad de Sicilia, pero era gobernada por Gelón. Ambas ciudades eran gobernadas por los griegos, pero Gelón organizó una campaña para tomar el control de toda la isla y proclamarse su único gobernante. La élite cartaginesa tenía una buena relación con la isla, pero se vieron obligados a actuar porque las partes occidentales de Sicilia eran vitales para la economía de Cartago. Sin embargo, Amílcar I, el hombre más poderoso de Cartago en aquel momento, no quiso enviar una fuerza militar oficial en nombre del gobierno. En cambio, optó por crear un ejército privado, formado en su mayoría por mercenarios provenientes de todos los estados del Mediterráneo.

El ejército llegó a la isla en el 480 a. C., y marchó directamente a la ciudad de Himera. El mismo Amílcar dirigió el ejército, con la esperanza de sorprender las defensas de la ciudad; sin embargo, su enemigo logró interceptar varias cartas que discutían los planes de los cartagineses. Amílcar fue emboscado y muerto en batalla junto con la mayoría de su ejército. Los pocos sobrevivientes huyeron a Cartago y dieron cuenta de lo sucedido en Sicilia. Los cartagineses se preocuparon de que Gelón pudiera atacarlos, y comenzaron una campaña diplomática para conseguir la paz. Se enviaron embajadores a Sicilia para negociar un tratado con Damarete, esposa de Gelón. La campaña tuvo éxito. Sin embargo, todo el asunto fue retratado como una derrota de Cartago a manos del gobernante de Siracusa.

Cartago tuvo que pagar los costos de la guerra y sufrió algunas humillaciones, pero aparte de eso, nada cambió realmente para los ciudadanos. Ya no tenían miedo de una invasión, y los mismos ricos comerciantes continuaron gobernando la ciudad. Sin embargo, se hicieron reformas en el sistema de gobierno, administrativo y militar. Cartago no sufrió ningún problema económico, o, si lo tuvo, fue de poca importancia. Pero los cartagineses no enviarían una nueva expedición militar a Sicilia hasta medio siglo después, aunque tuvieron la oportunidad de hacerlo. Siracusa era un viejo enemigo de Atenas, y los atenienses ofrecieron a Cartago la oportunidad de forjar una alianza contra los sicilianos. Cartago se negó y optó por respetar el tratado de paz mientras mejoraban su economía y sus relaciones amistosas con las demás ciudades-estado griegas.

Cartago no hizo ningún tipo de movimiento militar contra la isla de Sicilia en los setenta años posteriores a su derrota. Esto cambió cuando Segesta, una ciudad siciliana, entró en conflicto con otra ciudad llamada Selinus, y Cartago decidió ayudar. Sin embargo, la ayuda no fue ofrecida a Segesta por un sentimiento de hermandad. Para entender el por qué, se debe mirar lo sucedido en el año 478, cuando Gelón, el hombre que había derrotado a los cartagineses, falleció. Como resultado, Siracusa perdió mucho poder. Muchas ciudades sicilianas comenzaron a luchar, y esto condujo a la decadencia de las economías y al abandono de pueblos y asentamientos. El caos duró hasta el 410, cuando Siracusa comenzó a erigirse de nuevo.

Cartago no quería ver el renacimiento del dominio de Siracusa sobre la isla, y aunque las ciudades de Segesta y Selinus no eran importantes para el reino púnico, proporcionaron una excusa para interferir. Cartago, en ese momento, dominaba el comercio del Mediterráneo, y no podía arriesgarse a tener ningún rival. Su objetivo era defender su posición económica y política en la región. Sin embargo, es totalmente plausible que tuvieran otros motivos para involucrarse. Aunque Cartago todavía era poderosa y muy respetada, la derrota que sufrieron a manos de Gelón aún dolía.

Los ancianos que gobernaban Cartago votaron para enviar ayuda a Segesta, y como líder militar, eligieron a Aníbal Mago (no confundir con el famoso general Aníbal Barca), nieto de Amílcar I, general muerto en la batalla de Himera. La expedición fue cuidadosamente planeada, y para evitar la intervención de Siracusa, enviaron embajadores para pedirles que permanecieran neutrales. Selinus tampoco pidió ayuda a Siracusa, a pesar de ser aliados, por lo cual Siracusa pudo mantener su neutralidad en el conflicto. Sin embargo, una vez que Selinus fue derrotada en una batalla contra los mercenarios contratados por Segesta, huyeron a Siracusa para pedir ayuda. La ayuda fue concedida, y la guerra entre Cartago y Siracusa fue inevitable.

Aníbal reunió su ejército, y en el 409, navegó a Sicilia para marchar sobre Selinus, junto con sus aliados. Las murallas de la ciudad eran débiles y no tenían ninguna oportunidad contra las máquinas de asedio, pero los defensores trataron de resistir el mayor tiempo posible, esperando que llegaran refuerzos. El ejército cartaginés se abrió paso a través de las defensas, y en el mercado de la ciudad derrotaron a las fuerzas restantes. Aníbal salió victorioso, y la ciudad fue tomada. Sin embargo, Aníbal no quedó satisfecho solo con conquistar Selinus. Siguió hacia Himera para vengar la derrota de su abuelo y tomar la ciudad.

El plan era usar la misma estrategia. Sin embargo, los defensores de Himera decidieron enfrentarse a sus invasores en el campo de batalla, y atacaron a las fuerzas cartaginesas. Una flota llegó desde Siracusa para apoyar a los himeranos, pero las fuerzas de Aníbal los superaron en número, y obligaron a los defensores a retirarse a la ciudad. Los himeranos comenzaron a evacuar a los ciudadanos en barcos provenientes de Siracusa, y los defensores restantes se vieron obligados a quedarse en la ciudad hasta que llegaran más barcos para ellos. Desafortunadamente para los defensores, solo duraron tres días.

El antiguo historiador Diodoro registró que Aníbal fue despiadado con el pueblo de Himera. Mientras que las murallas de Selinus fueron destruidas y muchos edificios se quemaron hasta los cimientos, Himera fue casi completamente destruida, incluyendo los templos. El general cartaginés reunió a sus prisioneros de guerra, los llevó al lugar donde su abuelo fue derrotado y los ejecutó. De acuerdo con Diodoro, mató a 3.000 hombres.

La isla quedó a merced de Aníbal, pero no continuó la campaña contra Siracusa, a pesar de la ayuda militar y naval a Himera y Selinus. El objetivo principal del general era borrar la vergüenza de Cartago sufrida setenta años antes cuando su abuelo fue derrotado. Después de su éxito, Aníbal pagó a los mercenarios que lucharon para él y regresó a África. Pero este no fue el final de la intervención de Cartago en la isla.

Tan solo dos años después lanzaron una nueva campaña militar debido a un general rebelde de Siracusa, quien atacó varios asentamientos. Cartago respondió al desafío, pero no de la manera retratada por los historiadores antiguos como Diodoro. Cartago fue representada a menudo como un invasor dispuesto a conquistar la isla de Sicilia con su poderío militar, lo cual es falso. Se han encontrado varias inscripciones en las ciudades-estado griegas que muestran diplomáticos cartagineses recibidos en varias ciudades donde buscaban formar alianzas. Además, en el caso del general rebelde, Cartago primero designó funcionarios para analizar la situación dialogando con líderes de Siracusa y otras ciudades. En cualquier caso, Cartago reunió un nuevo ejército y envió a Aníbal, junto con un joven oficial llamado Amílcar, para dirigirlo.

La nueva expedición no comenzó bien pues el ejército fue emboscado mientras navegaba hacia Sicilia. Varios barcos los atacaron, destruyendo muchos barcos cartagineses antes de llegar a tierra. Una vez en tierra, Aníbal dirigió las tropas a Acragas, una ciudad griega en el sur de Sicilia. Siguieron más desgracias, pues el ejército se vio afectado por la plaga y murieron muchos soldados. El propio Aníbal contrajo la plaga y murió ese mismo año, en el 407. Amílcar quedó como único líder de las fuerzas cartaginesas, y continuó luchando contra los siracusos durante dos años hasta obtener una buena ventaja. En el año 405 había perdido más de la mitad de sus hombres, pero debido a las posiciones estratégicas que ganó, pudo ofrecer a Siracusa sus términos de paz. El dominio cartaginés sobre la isla quedó sellado, pues varias de las ciudades que se les oponían aceptaron pagarles tributo a cambio de la paz.

Con una sólida base económica y política en Sicilia, Cartago comenzó a invertir en la construcción de nuevas ciudades y asentamientos en toda la isla. Los inmigrantes cartagineses acudieron en masa desde la capital para colonizar las nuevas ciudades y puertos. El norte de África y Sicilia estaban ahora gobernados por Cartago, y continuaron mejorando sus relaciones comerciales con los griegos y los italianos que habitaban la región del Mediterráneo.

Cartago, Alejandro Magno y Agatocles

Durante casi todo un siglo, Cartago continuó su largo plan para construir y desarrollar rutas comerciales y asentamientos, centrándose fuertemente en las relaciones y alianzas comerciales. Sin embargo, en el año 330 a. C., surgió una nueva potencia. Alejandro Magno, el líder del nuevo Imperio macedonio que se extendería desde Grecia hasta el actual Pakistán, se alzó como la figura más importante del siglo. Historias y leyendas sobre él se extendieron por todo el

Mediterráneo, y se le retrató como un a dios, como el nuevo Hércules. Esto fue motivo de preocupación para Cartago.

Los cartagineses siguieron el progreso del joven rey, y temían que volviera su mirada hacia el oeste. Embajadores de todas las naciones y ciudades-estado, incluyendo Cartago, viajaron a Babilonia para forjar lazos de amistad con los macedonios. Cartago envió a Amílcar Rodano para representarlos, pero no viajó a la corte de Alejandro para conocer si sus intenciones hacia el reino púnico eran pacíficas. Ya sabía que no lo eran porque, en el año 332, Alejandro atacó la ciudad de Tiro y esclavizó a su gente. Después del asedio, el Hércules macedonio liberó a los ciudadanos cartagineses que capturó y les advirtió que iría a Cartago una vez terminadas sus campañas en Asia. Por lo tanto, Amílcar viajó a su corte para averiguar el momento en que Alejandro atacaría Cartago.

Sin embargo, nunca podremos saber cuáles eran las verdaderas intenciones de Alejandro. Cartago entro en paranoia y temía el ataque de los macedonios. Una vez que Amílcar obtuvo información de Alejandro y su corte y regresó a Cartago, los ciudadanos lo ejecutaron. Lo consideraron un traidor que debió conspirar con Alejandro para ayudarle a conquistar la ciudad. No mucho después, en el año 323, Alejandro murió. No tuvo la oportunidad de atacar Cartago, y nunca sabremos si entraba en sus planes.

Mientras Cartago finalmente respiraba, los comandantes de Alejandro comenzaron a dividirse el imperio entre ellos. El caos también llevó a varios nobles menores y oficiales ambiciosos a forjar sus propios feudos. Uno de ellos fue un joven comandante de caballería llamado Agatocles. Viajó a Siracusa y consiguió convertirse en gobernante convenciendo a la población de que todos sus problemas eran causados por el dominio cartaginés. A causa de una hábil manipulación y demagogia, los ciudadanos lo ascendieron al poder.

Una vez que Agatocles consolidó su poder, continuó estudiando el sistema militar cartaginés. Así descubrió una gran debilidad en la forma de elegir a sus generales. En primer lugar, Cartago se basaba principalmente en ejércitos mercenarios dirigidos por un general elegido. Este general provenía de Cartago, pero eran los ciudadanos del reino quienes lo elegían. Esto le daba al general cierta autonomía de la élite gobernante. El general era libre de tomar sus propias decisiones en una campaña militar, y su desempeño sería revisado por los ancianos de Cartago. Agatocles descubrió que este sistema creaba una sensación de conflicto entre la élite y los generales. A veces, un general olvidaba que tenía que responder por sus acciones. Los oligarcas que gobernaban Cartago también sospechaban un poco del elegido de los ciudadanos. En segundo lugar, Agatocles se dio cuenta de que los cartagineses no estaban acostumbrados a luchar guerras y por lo tanto eran inexpertos en el campo de batalla debido a su dependencia de los mercenarios.

Agatocles se dio cuenta de que podía sorprender a Cartago atacándolos en África, en su propio suelo. Su inexperiencia y complacencia le darían la oportunidad de atacar sus ciudades y ganar un gran botín sin llevar la guerra a las ciudades sicilianas. Como resultado de este movimiento, Agatocles ganaría aún más apoyo de su pueblo. Rápidamente amasó toda la riqueza que pudo, y preparó sesenta barcos y un ejército de 13.000 soldados. Sus fuerzas eran lo suficientemente pequeñas como para cruzar el mar sin que otros barcos se dieran cuenta. Desembarcó sus fuerzas a unos 100 kilómetros de Cartago. Tan pronto como desembarcó, lo primero que hizo fue incendiar los barcos. Sabía que estaba atrapado en ese punto, y tendría que vencer o morir en el intento. Con este evento sacrificó los barcos a los dioses y convenció a sus tropas de que debían triunfar por justicia y venganza contra los cartagineses que dominaban la isla de Sicilia.

Cartago se dio cuenta de la llegada de Agatocles, y entró en pánico. Dos nuevos generales fueron elegidos para liderar las fuerzas contra el invasor. Uno de ellos murió en la primera batalla y perdió la mayoría de sus tropas en un desastroso intento de hacer retroceder a

Agatocles. El segundo general se retiró a la ciudad, con la esperanza de aprovechar este momento y tomar el poder para sí. En la isla de Sicilia, las fuerzas cartaginesas estacionadas allí intentaron un ataque contra Siracusa. Pero fracasaron. Mensajes a Cartago informaron que el ejército se dividió en varias facciones que lucharon entre sí.

Cartago estaba al borde de la derrota, y Agatocles se envalentonó cada vez más por su éxito. También se volvió más agresivo con su ejército, y creció su complejo de dios. Esto causó que las tropas se amotinaran contra él. El hecho de que no se les hubiera pagado aún solo empeoró las cosas. Cartago se dio cuenta de la situación y trató de sobornar al ejército para que abandonara a Agatocles. Sin embargo, el comandante convenció a sus hombres de que le siguieran a la batalla haciendo un dramático espectáculo de suicidio por fallarles. Los soldados aún lo respetaban, así que rechazaron la oferta de Cartago.

Mientras Agatocles reunía sus tropas y esperaba refuerzos de las ciudades griegas aliadas cercanas, el general cartaginés Bomilcar, que se había retirado antes, vio la oportunidad de dar un golpe de estado y tomar la ciudad para sí. Ordenó a los ciudadanos respetados y ricos que marcharan a la batalla contra Agatocles, y muchos de sus oponentes políticos fueron asesinados. Pero no mucho después, los ciudadanos más jóvenes se dieron cuenta de lo que sucedía. Se reunieron y se movilizaron contra el tirano. La ciudad entera luchó contra Bomilcar y sus soldados, y fue derrotado. La ciudad no exigió ninguna otra acción aparte de la ejecución de Bomilcar. Sus soldados y oficiales no fueron castigados debido a la amenaza que había a sus puertas.

Después de que el general rebelde fue asesinado, Cartago se sintió vigorizada y más optimista para enfrentar al enemigo. Este sentimiento se vio reforzado cuando, poco después, Agatocles recibió la noticia de que algunas ciudades bajo el control de Siracusa empezaron a declarar su independencia. Preocupado por este evento, no tuvo otra opción que regresar a Sicilia y encontrar una solución.

Aunque no se menciona, lo más probable es que pagara un barco para llegar allí. Dejó a su inexperto hijo a cargo de las fuerzas restantes. Con Agatocles fuera, los cartagineses se volvieron mucho más optimistas, e inmediatamente forjaron un nuevo plan de acción. Dividieron sus fuerzas en tres grupos de batalla, cada uno con su propio comandante, y fueron enviados a retomar el control de diferentes partes alrededor de Cartago, invadidas por las fuerzas siracusas. El nuevo comandante invasor cometió el error de copiar la estrategia cartaginesa y dividir sus fuerzas para igualarlas. Su movimiento no tuvo éxito, ya que los comandantes de Cartago se las arreglaron para superar las maniobras y emboscar a las fuerzas invasoras.

Arcagato, derrotado, envió una carta a su padre explicando la terrible situación. Agatocles resolvió el problema en Sicilia, y estaba camino a Cartago, pero, ya no había manera de salvar la situación. La mayoría de las tropas murieron o desertaron. Agatocles intentó usar las fuerzas restantes en una última batalla, pero perdió. Su única opción era huir, mas no había forma de transportar el ejército restante sin arriesgarse a un ataque de Cartago. Así que Agatocles abandonó sus tropas y desertó. Los soldados estaban tan enojados con su antiguo comandante que mataron a su hijo antes de rendirse ante Cartago.

Los cartagineses acordaron con las tropas de Agatocles su incorporación al ejército, y luego enviaron cartas a Agatocles para encontrar una solución al conflicto. Ambos lados acordaron la paz, y Cartago pagó a Agatocles en oro y grano para legalizar su dominio sobre sus ciudades y territorios. El dominio de Sicilia quedó asegurado una vez más.

La Primera Guerra Púnica (264- 241 a. C.)

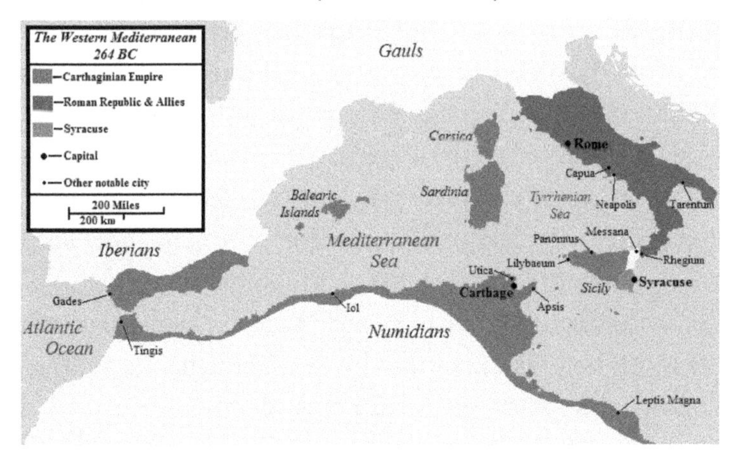

Mapa del Imperio cartaginés, la República romana y Siracusa durante la Primera Guerra Púnica

Cartago era indiscutiblemente la superpotencia económica del Mediterráneo, gracias a su gran marina. Gran parte de su comercio se hacía por mar, por lo cual entendieron desde el principio que necesitaban una marina poderosa. Cartago trajo muchos avances en las técnicas de construcción naval, y entre los siglos VI y III a. C., se centraron en dominar el mar. Por eso Cartago tuvo más éxito en las batallas navales que en las terrestres. En el siglo III a. C., Cartago comenzó a ejercer su dominio sobre los otros territorios del Mediterráneo más agresivamente. Esto preocupó a los romanos, cuyo poder naval era inferior. En ese momento preferían pagar a sus aliados por el transporte naval de tropas y mercancías.

La gota que colmó el vaso fue la independencia de Siracusa en el 263 a. C., ya que Cartago había decidido establecer una base importante en Acragas. Reforzaron la ciudad y mejoraron su puerto porque su ubicación les ofrecía un camino hacia el este de Sicilia, que ya no estaba bajo su control. Esto era una amenaza para la seguridad romana, así que los romanos enviaron rápidamente tropas para asediar Acragas. La ciudad se las arregló para defenderse durante varios meses hasta que llegaron los refuerzos cartagineses, que sumaban más de 55.000 unidades. Sin embargo, el ejército enviado estaba formado por soldados que nunca habían experimentado un combate. Incluso su general, Hannón, era inexperto. Cuando se enfrentó a los romanos, tomó la terrible decisión de poner a sus sesenta elefantes de guerra detrás de su infantería. Una vez que los romanos rompieron las filas cartaginesas, los soldados inexpertos comenzaron a correr hacia sus propias líneas. Los elefantes entraron en pánico y aplastaron a muchos de ellos. Hannón fue derrotado, y Acragas no tuvo más opción que confiar en sus defensas. El comandante de la ciudad no vio ninguna posibilidad de sobrevivir al asedio, reunió a sus mercenarios y escapó. Los romanos rápidamente rompieron las defensas, saquearon la ciudad y vendieron a los ciudadanos como esclavos. Hannón sobrevivió a la expedición, pero perdió su ciudadanía y fue relevado de su cargo.

Después de aquella gran victoria, los romanos se dieron cuenta de que podían continuar y eliminar al dominio cartaginés de la región. Comenzaron a entrenar su pequeño ejército rápidamente para luchar contra la armada de Cartago. En los siguientes cuatro años, los romanos sumaron más de cien barcos de guerra a su flota, la mayoría quinquerremes, también utilizados por el enemigo. Los romanos comenzaron a entrenar su nueva armada organizando incursiones costeras. En el año 260 a. C., el almirante Cneo Cornelio Escipión deseaba la gloria, y navegó con entusiasmo a la ciudad de Lipari, que buscaba rendirse a las fuerzas romanas. Cartago se enteró del plan y envió sus fuerzas navales para interceptar al almirante. La inexperta tripulación romana entró en pánico, saltó del barco y nadó a tierra, incluido su líder. Una vez allí, fueron capturados.

El almirante cartaginés, Aníbal (aún no el famoso Barca), buscó el resto de la nueva flota romana. Los encontró en Messana (Messina), pero subestimó su número, y perdió muchos barcos. Roma confiaba más en poder derrotar a Cartago, pero los cónsules romanos sabían que solo sería posible estableciendo su superioridad naval. La fuerza de los romanos residía en el disciplinado combate cuerpo a cuerpo, por lo que sus ingenieros comenzaron a modificar los barcos para abordar los navíos cartagineses. Lograron hacerlo, y la flota romana navegó para cazar al enemigo.

Cartago tenía 130 barcos frente a la costa de Sicilia, alegres de enfrentarse a los romanos, pensando que no tenían ninguna posibilidad debido a su inexperiencia. Estaban equivocados. Los soldados romanos abordaron los barcos enemigos y rápidamente convencieron a sus tripulantes de rendirse. Se perdieron cincuenta barcos en la batalla y el resto se retiró. Aníbal escapó, pero murió más tarde en un encuentro con las flotas romanas que atacaban las costas de Córcega y Cerdeña.

En este punto Cartago cambió sus tácticas. Sabían por experiencia que tenían más éxito cuando jugaban a la espera. En lugar del conflicto directo, optaron por una guerra de desgaste. Esto impacientó a los romanos debido a su sistema político, pues el cargo de cónsul solo duraba un año. Este sistema les hizo preferir la acción directa sobre la estrategia a largo plazo. Así que su única opción era rodear Sicilia y realizar una campaña militar en África.

En 256, los romanos enviaron una expedición naval al norte de África, lo cual era un movimiento arriesgado, ya que dejaba a los romanos a 100 kilómetros de cualquier suministro o refuerzos. Sin embargo, Marco Regulus tomó el mando de una armada de alrededor de 300 barcos y navegó hacia África. Eligieron detenerse en Sicilia para recoger soldados veteranos de la guerra contra los cartagineses. Cartago reunió una armada para rivalizar con los romanos, compuesta por unos 350 barcos y más de 140.000 soldados. Ambas fuerzas navales se enfrentaron al sur de Sicilia mientras los romanos se dirigían a los territorios africanos. Este es probablemente el mayor conflicto naval que se haya registrado en el mundo antiguo.

La fortuna no estuvo del lado de Cartago durante la batalla. El invento romano para abordar los barcos enemigos demostró ser una enorme ventaja. La armada romana se dividió en cuatro grupos de batalla y cargó contra la línea cartaginesa. Cerca de cien barcos fueron capturados o destruidos, mientras que los romanos solo perdieron unos veinte. La flota romana continuó entonces hacia el norte de África, desembarcando cerca de la ciudad de Aspis, la cual conquistaron rápidamente.

Una vez que las fuerzas romanas se establecieron en el continente, marcharon a Cartago y capturaron todas las ciudades, pueblos y asentamientos que encontraron en su camino. Cuando llegaron a la propia Cartago, la ciudad estaba llena de refugiados que habían acudido en masa a la capital en busca de protección contra los invasores.

La guerra no resultó bien para Cartago, y admitieron que sus tácticas contra los romanos fueron defectuosas. Para cambiar el rumbo, reclutaron a miles de mercenarios griegos y a un experimentado general espartano llamado Jantipo. Cuando los romanos llegaron a Cartago, Jantipo estaba preparando la batalla y analizando las batallas que se habían perdido contra los romanos. Como resultado, decidió atacarlos en campo abierto, y mediante el uso inteligente de la caballería y elefantes de guerra, rompió la línea romana, mató a la mayoría de los soldados y logró capturar a Regulus. Se piensa que el comandante romano fue asesinado en cautiverio. La batalla fue ganada, pero la guerra no había terminado, y no iba bien para los cartagineses.

Durante la década siguiente, la mayoría de las batallas se libraron en Sicilia, y se perdieron cientos de barcos con decenas de miles de hombres. Aunque ambos bandos sufrieron golpes devastadores, era claro que Cartago iba perdiendo la guerra. Con el paso de los años, la marina romana adquirió gran experiencia en la guerra naval y se hizo superior a los cartagineses sin siquiera tener que utilizar sus métodos de abordaje. En el año 241 a. C., Cartago ya no podía apoyar la campaña en Sicilia, porque su flota estaba en ruinas, tanto por las batallas como por las tormentas que estrellaron sus barcos contra la costa rocosa de Sicilia. Los romanos ofrecieron sus términos de paz, que incluían la retirada de Cartago de Sicilia y de todas las demás islas entre el norte de África y Sicilia. También tenían que pagar por las reparaciones de guerra y liberar a todos los prisioneros romanos. Sin embargo, a Cartago se le permitió quedarse con la isla de Cerdeña. Cartago no tuvo más remedio que admitir su derrota, aceptar los términos y dejar Sicilia a los romanos.

La Segunda Guerra Púnica (218- 201 a. C.)

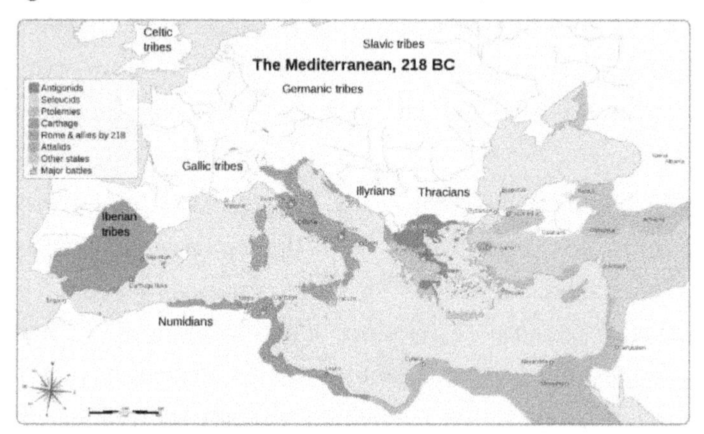

Un mapa de la cuenca mediterránea en 218 a. C.

https://en.wikipedia.org/wiki/Second_Punic_War#/media/File:Mediterranean_at_218_BC-en.svg

Después del tratado de paz de 241, Cartago se enfrentó a varias rebeliones en el norte de África, Cerdeña y Córcega. La mayor parte de su flota fue destruida, y estos levantamientos causaron pérdidas significativas. Los rebeldes asesinaron a los generales y gobernantes que mantenían la paz en las dos islas, y también a la mayoría de los soldados cartagineses. Los romanos observaban estos acontecimientos con gran interés, y en 238, vieron la oportunidad de tomar el control de las dos islas sin lucha alguna. Y lo hicieron. Enviaron soldados romanos a Cerdeña y Córcega, tomaron el control, y debido a ello fueron condenados por el gobierno cartaginés. Sin embargo, Roma sabía que después de la guerra y de lidiar con los levantamientos Cartago no tenía poder para oponerse a ellos.

El resultado de esta situación fue una nueva campaña en la península ibérica, que en mayor parte estaba bajo control de los nativos de la época. El general Amílcar Barca fue enviado para tomar el control de Hispania y construir nuevos asentamientos y puertos en la península. Se le asignó un ejército, pero Cartago ya no tenía suficientes barcos para transportarlo por mar. Así que Amílcar se vio obligado a llevar sus tropas para cruzar el estrecho de Gibraltar. Lo acompañaba su joven hijo, el pronto famoso general Aníbal.

Aníbal tenía solo nueve años cuando su padre lanzó la conquista de Hispania, y como resultado, creció en campos militares, done aprendió mucho de su padre y de la vida marcial. La campaña tuvo éxito contra los nativos ibéricos, y rápidamente conquistaron la mayor parte de la costa sudeste de España. Durante estos años, el poder de Cartago se revitalizó, pero a los nueve años de la expedición, Amílcar murió ahogado durante una batalla en circunstancias desconocidas. Cartago decidió continuar la campaña en Hispania eligiendo a Asdrúbal, segundo al mando de Amílcar y cuñado de Aníbal. En ese momento Aníbal tenía dieciocho años, y comenzó a servir como oficial junto a Asdrúbal.

La campaña para tomar el control de la península ibérica continuó. Sin embargo, Asdrúbal eligió un camino diferente al de su predecesor. Se centró en la diplomacia en lugar de la acción militar. Se reunió con las tribus locales, estableció relaciones amistosas con ellas, y usó su ingenio para tomarlas o al menos encontrar terreno neutral sin derramar sangre. Se centró en reconstruir la influencia y el honor de Cartago. Y lo hizo consolidando su poder en Hispania pacíficamente en su mayor parte. También fundó una nueva ciudad importante para solidificar su posición: Nueva Cartago (hoy Cartagena, España).

Desafortunadamente, su campaña diplomática no duró mucho. En el año 221, un esclavo asesinó a Asdrúbal, y Cartago se vio obligada a elegir un nuevo comandante para tomar el mando. Aníbal era ahora un oficial de veintiséis años con experiencia, y también era muy respetado por sus hombres porque veían a Amílcar en él. Así que lo eligieron.

En los dos años siguientes, Aníbal expandió agresivamente su control sobre Hispania. Conquistó varios asentamientos y fuertes al oeste. Durante este período, Aníbal se probó a sí mismo en el campo de batalla y se estableció como un estratega astuto. Roma le prestó atención, y se preocuparon por el rápido ritmo con el que conquistó los territorios ibéricos. Los romanos forjaron una alianza con la ciudad ibérica de Sagunto, que ya era parte de los territorios de Aníbal. Esta era su oportunidad. Aníbal decidió ir contra Roma y atacó Sagunto. Durante más de medio año sitió la ciudad, y finalmente la tomó.

Aníbal también era hábil en la política, y como sabía que podría comenzar una guerra entre Cartago y Roma con esta acción, envió todo el botín saqueado de la ciudad de vuelta a Cartago. La élite estaba emocionada, y Aníbal se ganó su favor. Sin embargo, Roma despachó enviados a Cartago para saber si Aníbal recibía órdenes del estado de atacar a su aliado, Sagunto. Este fue un momento decisivo, y el gobierno eligió ponerse del lado de Aníbal. Cartago declaró la guerra oficialmente a Roma en el año 218.

Una vez que la guerra fue declarada, Aníbal inmediatamente lanzó su campaña contra Roma. Planeó cruzar los Pirineos y los Alpes y atacar a los romanos tierra adentro. Marchó desde Nueva Cartago con un ejército de 45.000 soldados, incluyendo casi 40 elefantes de guerra. Al cruzar a la Galia, luchó contra varias tribus nativas y convenció a otras para que le permitieran un paso seguro. Sin embargo, tuvo que dejar a varios miles de sus hombres atrás para mantener los asentamientos que había capturado. Aníbal continuó a través de los Alpes, y contra todo pronóstico, cruzó las montañas y entró en Italia con un ejército de 25.000 soldados aguerridos. Algunos de ellos perecieron en ese viaje, aunque no sabemos el número exacto, y ninguno de sus elefantes sobrevivió a la ardua travesía.

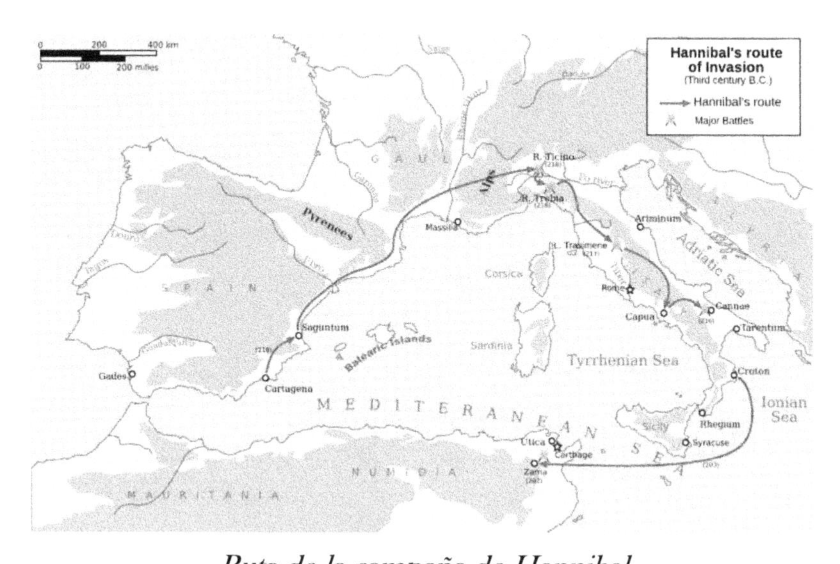

Ruta de la campaña de Hannibal

https://en.wikipedia.org/wiki/Second_Punic_War#/media/File:Hannibal_route_of_invasion-en.svg

Una vez en Italia, Aníbal supo que no tenía hombres para atacar Roma, así que tuvo que tomar el control de ciertas provincias y asegurar algunos aliados. Los romanos lo alcanzaron y se enfrentaron a sus fuerzas en el río Trebia. Aníbal ganó la batalla, y arrojó a los romanos fuera de Lombardía. Esta pequeña victoria fue suficiente para animar a los galos a unirse a su campaña. Más de 20.000 galos se unieron a las fuerzas de Aníbal, casi duplicando su ejército.

Afortunadamente para los romanos, el invierno del 217 frenó a Hannibal. Esto les dio la oportunidad de amasar un ejército de 100.000 soldados. Al mismo tiempo, se enviaron cuatro legiones a defender Cerdeña y Sicilia. Roma estaba preocupada de que Cartago los atacara por mar mientras luchaban contra Aníbal en el norte.

A medida que pasó el invierno, Aníbal siguió avanzando por la región de Chianti. Allí, se enfrentó a otro ejército de unos 15.000 romanos. Los derrotó sin complicaciones y decidió dar un respiro a sus hombres. Para entonces, el ejército de Aníbal estaba cansado de una campaña de dos años y de cargar con las vastas riquezas que habían capturado en el camino. Así que Aníbal decidió llegar a la costa y permitir que sus hombres se recuperaran con el buen clima. También se tomó el tiempo de enviar un mensaje a Cartago.

En Cartago se alegraron mucho de escuchar por primera vez algunas noticias de la expedición de Aníbal en el año 217. Los ancianos respondieron a su nuevo general favorito diciéndole que recibiría todo su apoyo. Así, mientras Aníbal se relajaba en el mar, Roma estaba aterrorizada.

Mientras Aníbal continuaba hacia el sur, más adentro de Italia, encontró y venció a varios pequeños ejércitos. Para el año 216, los romanos se dieron cuenta de que su táctica no estaba funcionando. Aníbal prosperó en grandes batallas abiertas. Así que decidieron enviar consecutivamente contingentes más pequeños para cansar al ejército cartaginés. Durante este mismo año, Filipo V, el rey de Macedonia, ofreció su apoyo a Aníbal a través de una alianza. Sin embargo, Aníbal no recibió ningún apoyo de Cartago, a pesar de las promesas del gobierno. Aníbal se vio obligado a seguir luchando contra las ciudades-estado italianas porque no tenía la fuerza necesaria para enfrentarse a Roma directamente.

Aníbal no progresó mucho durante los siguientes ocho años debido a la guerra de desgaste de los romanos. A pesar de que los derrotó una y otra vez, e incluso eliminó dos ejércitos completos, no pudo marchar a Roma. Y Cartago aún no le enviaba los refuerzos tan necesitados. La élite cartaginesa que tomó todas las decisiones había enviado sus fuerzas para mantener la seguridad en sus territorios ibéricos. Aníbal estaba solo, obligado a reclutar soldados de la Galia y los territorios italianos que se habían rendido ante él.

Con un ejército debilitado, el éxito de Aníbal comenzó a llegar a su fin en el año 207. Los romanos continuaron con su guerra de desgaste, sabiendo que Aníbal no recibiría tropas nuevas. Además, la República romana se alió con la Liga Etoliana para evitar que el rey Felipe se uniera a Aníbal. Aníbal comenzó a perder en el sur de Italia, aunque sus brillantes estrategias aún le aseguraron algunas victorias.

Para entonces, Aníbal había pasado quince años luchando contra los romanos. Pero en el 203, todo había terminado. Cartago le pidió volver a casa porque los romanos estaban a punto de atacar. Escipión Africano había sido enviado para liderar las fuerzas romanas. Escipión era un general famoso que rivalizaba con las legendarias habilidades de Aníbal en batalla. Los dos se admiraban mutuamente, y se reunieron para discutir la idea de un tratado de paz.

Mientras los romanos negociaban con los cartagineses para terminar la guerra durante el 203, hubo una breve pausa. Los dos bandos llegaron a un acuerdo, y no fue muy desfavorable para Cartago porque Roma estaba cansada de la guerra. De hecho, Cartago estuvo cerca de aceptar el acuerdo de paz hasta que el Senado cartaginés recibió la noticia de que Aníbal regresaba. Cartago entonces rechazó la oferta de Roma, sintiéndose optimista debido al regreso de su invencible héroe para liderarlos en la batalla.

Sin embargo, este optimismo pronto iba a desaparecer. En el 202 a. C., Aníbal se encontró con las fuerzas de Escipión en el campo de batalla de Zama. Los dos ejércitos rivalizaron por igual, y la batalla fue brutal. Hubo momentos en los que parecía que Aníbal iba a ganar, pero Escipión era un táctico inteligente, y se recuperó con éxito de cada embestida. Al final, Escipión demostró que Aníbal ya no era invencible. Los cartagineses perdieron más de 20.000 hombres, y otros tantos fueron heridos. Por otro lado, debido a la superioridad de su caballería, Escipión solo sufrió un poco más de 2.000 bajas. Esta derrota fue un duro golpe para Aníbal y su prestigio, y el pueblo perdió la fe en él.

Después de la derrota en Zama, se firmó un tratado de paz, pero Aníbal permaneció en la escena política. La élite cartaginesa lo eligió como su magistrado principal, y en los siguientes cuatro o cinco años, Aníbal demostró que también era un hábil político. Inició varias reformas en el área financiera como medio para pagar la deuda de Cartago con Roma sin aumentar los impuestos al pueblo. Aníbal había determinado que Cartago era capaz de hacer los pagos que se acordaron en el tratado, pero mucho de ese dinero estaba siendo drenado por la corrupción. Una gran cantidad de dinero de los impuestos nunca llegó a las arcas del estado porque los oligarcas lo robaban. Para resolver el problema, Aníbal declaró que los ancianos de Cartago serían elegidos por el pueblo y solo servirían por un año, una medida que los ciudadanos cartagineses apoyaron.

Estas reformas rápidamente trajeron un nuevo período de prosperidad. Cartago crecía de nuevo económicamente y estaba extendiendo su influencia a través del comercio y estableciendo buenas relaciones con otras naciones. Por otro lado, los oligarcas perdieron mucha fortuna y estatus, y se convirtieron en enemigos de Aníbal. Al mismo tiempo, Roma se dio cuenta de este renovado vigor, y les preocupaba que Cartago pudiera levantarse de nuevo como una superpotencia mediterránea. Así que enviaron un destacamento bajo la pretensión de que Aníbal se comunicara con Antíoco III del Imperio seléucida, un enemigo de Roma. Aníbal sabía que no tenía ninguna posibilidad. Si esperaba a que llegaran, lo arrestarían, ya que los oligarcas seguramente no lo ayudarían. La única opción de Aníbal era exiliarse voluntariamente en 195 a. C.

En la década siguiente, Aníbal viajó de aliado en aliado, desde Antíoco, que residía en Éfeso, hasta Bitinia. Todos sus aliados eran enemigos de Roma, y como general experimentado, Aníbal les ofreció su consejo e incluso dirigió algunas batallas infructuosas. Huyó hasta el año 183 a. C., cuando, según algunas fuentes, encontró su fin. No está claro cómo y cuándo murió Aníbal. Algunos antiguos historiadores romanos y griegos informan que murió en el 183, mientras que otros creen que fue en 182 o 181. La forma de su muerte también varía; algunos piensan que se suicidó o murió por heridas infectadas. Las leyendas dicen que Aníbal dejó un último adiós a los romanos en forma de carta. Afirmaba que su muerte liberaría finalmente a los romanos de las garras del terror que les había impuesto, incluso como un anciano en el exilio.

La tercera guerra púnica y la decadencia final de Cartago (149- 146 a. C.)

Durante las décadas entre el exilio de Aníbal y la tercera guerra púnica, la República romana invirtió en una multitud de campañas contra los reinos helenísticos en el este, y contra Hispania en el oeste. Roma tomó el control total de la península ibérica, que solía pertenecer a Cartago, así como de Sicilia, Cerdeña y Córcega. Además se rindieron varias ciudades-estado griegas e Ilirias. Cartago estaba sola, sin aliados y con algunos de sus territorios más rentables lejos de África.

Cuando Cartago terminó de pagar sus indemnizaciones de guerra a Roma en el año 151, todavía estaba obligada por el tratado que habían firmado al final de la segunda guerra púnica. Este tratado establecía que Cartago requería la aprobación de Roma para declarar la guerra a cualquier estado o para forjar una alianza. Esto era un problema para los cartagineses, y sus vecinos, Numidia, lo aprovecharon al máximo.

Los numidianos estaban acostumbrados a invadir las fronteras cartaginesas debido al tratado, ya que sabían que Cartago no podía declarar una guerra sin la aprobación de Roma. Sin embargo, en el año 151, cuando los numidianos invadieron el territorio de Cartago, recibieron una respuesta diferente. Cartago consideró que el tratado ya no era válido porque su deuda con Roma había sido pagada. Por lo tanto, amasaron un ejército y lo enviaron contra el invasor. Desafortunadamente para los cartagineses, perdieron la batalla y tuvieron que pagar a Numidia los costos de su campaña. Roma también estaba descontenta con la situación porque Cartago atacó a los numidianos sin su aprobación. Roma vio esta acción como una violación de su tratado.

En 149, la República romana declaró oficialmente la guerra a Cartago debido a la ruptura del tratado. Esta nueva guerra púnica duró poco, solo tres años. Cartago había disminuido significativamente desde la guerra anterior, y no tenían ninguna posibilidad contra Roma. Los romanos navegaron a Cartago, capturaron cualquier asentamiento en su camino y sitiaron la ciudad con éxito, aunque sufrieron algunas pequeñas derrotas en el camino. Los cartagineses fueron asediados durante toda la guerra hasta el año 146, cuando las fuerzas romanas bajo el liderazgo de Escipión Emiliano atravesaron sus defensas. Los ciudadanos de Cartago resistieron, pero al final, no pudieron sobrevivir al ataque.

Cartago fue incendiada, con muchos de sus soldados y ciudadanos muertos. Se estima que alrededor de 50.000 personas fueron esclavizadas. Roma se comprometió a destruir Cartago de una vez por todas, y para el 146 a. C., tuvieron éxito. El dominio de Cartago estaba oficialmente terminado, ya que la ciudad se perdió, y el resto de los territorios africanos quedaron bajo el dominio romano. La otrora orgullosa superpotencia mediterránea había sido convertida en cenizas. Un siglo más tarde, Julio César reconstruiría la ciudad como el nuevo centro romano en África.

Capítulo 4 - El Reino de Axum

El reino de Axum en los años 500

https://en.wikipedia.org/wiki/Kingdom_of_Aksum#/media/File:The_Kingdom_of_Aksum.png

Orígenes

La ubicación del reino de Axum dictó su prosperidad. Estaba situado entre varias rutas comerciales que llevaban a Egipto, más abajo a Etiopía y a la Barbaria en la costa de Somalia, donde se recolectaba el preciado incienso. La ventaja comercial de esta región era obvia, pero no era su único beneficio. Axum también miraba a las llanuras de Axum y Hasabo, con la meseta de la Comarca detrás de ella. Esta posición permitió al reino tener una temporada de lluvias muy abundante, que duraba de junio a septiembre. El suelo allí era fértil y era cruzado por muchos arroyos y manantiales de agua dulce. Se decía que la tierra de Axum era capaz de producir más de una cosecha al año.

Sin embargo, esta región fue colonizada antes de que se fundara el reino de Axum. Esto es lo que confundió a los primeros eruditos, que encontraron evidencia de la influencia de los sabaeanos en la región (los sabaeanos eran un antiguo pueblo de Arabia del Sur). Concluyeron erróneamente que los sabaeanos fundaron la ciudad, y más tarde, el reino de Axum. Descubrimientos posteriores demostraron que la influencia de la antigua cultura sabaea era muy limitada, e incluso se remontaba al período pre-Axumita. Estos nuevos descubrimientos arqueológicos e históricos nos llevan al principio. Si los sabaeanos no establecieron los cimientos de la ciudad de Axum, ¿entonces quién lo hizo? Por el momento, la pregunta permanece sin respuesta, y se sabe muy poco sobre la formación del estado de Axum.

Sin embargo, podemos especular sobre lo que pasaba en la ubicación de la ciudad de Axum, la futura capital del reino. Debido a su posición favorable con respecto al comercio y a la tierra fértil que rodeaba su ubicación, es posible que el primer asentamiento creciera y se desarrollara constantemente. La población creció, como suele suceder en las zonas sostenibles, y con el aumento de la población, su fuerza militar también creció. Otra posibilidad es que el ejército se utilizó para ampliar la soberanía de la ciudad de Axum, transformando una próspera ciudad en un reino. Las expediciones se habrían encargado de asegurar las rutas comerciales o de conquistar nuevos territorios para obtener recursos adicionales.

Es importante entender que Axum no era una potencia extranjera que venía a conquistar a los pueblos locales con su tecnología militar altamente desarrollada. Eran los locales que habían logrado llegar al poder y someter a los pueblos de alrededor, usando solamente su número. Es posible que tuvieran una fuerza militar superior debido a las armas importadas de Egipto, pero nada más los diferenciaba de sus vecinos.

Además de estas especulaciones, que son extremadamente escasas debido a la falta de evidencia, hay historias y leyendas interesantes sobre la fundación de Axum. Pero para entender su relevancia, es mejor describir primero el significado de Axum y su importancia en la historia tradicional de los etíopes. Hoy en día, Axum todavía existe, aunque como un pequeño pueblo en el norte de Etiopía. Pero para la gente, es una antigua ciudad sagrada desde la que gobernó la famosa reina de Saba. Es la «segunda Jerusalén», donde el primer emperador, Menelik I, trajo el Arca de la Alianza, en la que se guardaban las tablas de piedra de los Diez Mandamientos (y todavía se preservan, según la Iglesia Ortodoxa Etíope).

Según la tradición etíope, la reina de Saba, o Makeda, como así se llama en Etiopía, visitó Jerusalén, donde concibió un hijo con el famoso rey Salomón. Su hijo fue Menelik I, a quien se le atribuyen todos los obeliscos y estelas de piedra Axumitas. Aunque las leyendas de Makeda, Salomón y Menelik siguen muy vivas hoy en día, no se conservan historias ni mitos que nos den una idea de los verdaderos gobernantes y fundadores de la antigua ciudad de Axum. A la población local le encanta integrar los nuevos hallazgos arqueológicos en sus historias. Una mansión recientemente excavada en el distrito de Dungur (cerca de Axum) fue conectada inmediatamente con la reina de Saba, y se consideró su palacio. Que eso sea verdad o no, no tiene importancia para los etíopes, cuyo amor por su tradición ensombrece la historia.

Axum era importante incluso en las historias anteriores a la reina de Saba. Según el *Libro de Axum*, una obra histórica del siglo XVI, Etiopía fue fundada por Ityopis (Ethiopis), el hijo de Cush, quien era hijo de Ham, quien era hijo de Noé. Construyó la ciudad de Mazeber, que se convirtió en la capital del reino. Axumawi, el hijo de Ityopis, trasladó la capital a la nueva ciudad que fundó: Axum. Otra historia cuenta de una región de Axum que una vez fue gobernada por un rey serpiente, que exigía que se le diera una niña al año como sacrificio. En algunas versiones de esta historia, Maeda era la chica destinada a ser sacrificada, pero un extraño llamado Angabo la salvó, y juntos, fundaron Axum. Todas estas leyendas fueron muy influenciadas por el cristianismo, que llegó a Etiopía en el siglo IV d. C., durante el reinado del rey Ezana de Axum. Algunos estudiosos creen que el cristianismo fue la fuente de las leyendas, mientras que otros las atribuyen a la anterior influencia judía, que llegó antes con los distintos comerciantes. Sin embargo, se acepta en general que los sacerdotes cristianos utilizaron estas leyendas para explicar la conexión entre el pueblo pagano que habitaba la región, la reina de Saba, Salomón y Etiopía en general.

Los reyes etíopes continuaron promoviendo estas leyendas. No podrían haber deseado una mejor ascendencia antigua que la de la reina de Saba y el rey Salomón. Reclamaron la descendencia de esta pareja sagrada, que era amada por el pueblo, y ganaron legitimidad y autoridad como resultado. El último emperador de Etiopía, Haile Selassie, gobernó hasta 1974, e incluso afirmó ser descendiente de Menelik I, el hijo mítico de la reina de Saba y del rey Salomón.

Muchos mitos y leyendas rodean al místico reino de Axum, pero las pruebas históricas son muy escasas. Por eso, los estudiosos solo pueden adivinar y sugerir. El sistema de gobierno temprano de la ciudad y el reino es desconocido. Sin embargo, puede ser parcialmente reconstruido si se tiene en cuenta la historia de los alrededores. Debe haber habido algún tipo de consejo tribal que eventualmente se convirtió en un liderazgo de un solo gobernante. Se presume que la Tierra de Punt, que debió estar en algún lugar cerca de Axum, fueron quienes dejaron un sistema de control principal en el patrimonio de Axum. El mismo sistema se aplicó entre los reyes de Arabia del Sur, que muy probablemente dejaron su propia huella en el estado de Axum.

La ciudad de Axum comenzó a cobrar importancia en la escena política local y, con la ayuda de las expediciones militares, extendió su influencia a los pueblos circundantes. Sin embargo, no hay pruebas que sugieran qué relaciones tenía la gente de Axum con sus vecinos, ya que el dominio de Axum sobre la región se desprende de fuentes de fechas posteriores. Incluso se describieron algunas rebeliones en las que los pueblos sometidos intentaron recuperar su independencia. Pero aún está por descubrirse la evidencia que explique sus relaciones con otros pueblos tribales durante el primer período de la historia de Axum.

Los primeros años de Axum

La ciudad de Axum se estableció probablemente en algún punto a principios de nuestra era, cerca del siglo I d. C. Sin embargo, estas son solo suposiciones basadas en las primeras evidencias escritas sobre Axum, el *Periplo del Mar Eritreo* y la *Geografía de Ptolomeo,* ambas datadas alrededor del siglo I d. C. Algunos hallazgos arqueológicos confirman la datación de la ciudad. Los objetos funerarios más antiguos que se han encontrado datan de los siglos I y II. Algunos objetos de vidrio fueron encontrados más tarde, y las pruebas de radiocarbono mostraron que también son de alrededor de la misma época. Estos objetos de vidrio fueron descritos en el *Periplo* como los artículos que Axum importó de otras tierras.

El astrónomo, matemático y geógrafo griego Claudio Ptolomeo describió la ciudad de Axum, que fue gobernada por un rey desde su palacio. La *Geografía de Ptolomeo* fue fechada en el 150 d. C., pero en realidad es una revisión de un atlas más antiguo. Por lo tanto,

Axum podría pertenecer a una fecha aún más temprana. Sin embargo, no hay evidencia arqueológica que apoye esta teoría. Todos los artículos excavados en el sitio, excepto los funerarios y los de vidrio, son difíciles de datar con pruebas de radiocarbono, y los resultados a menudo no son concluyentes.

El primer gobernante conocido de la región fue Zoskales. Aunque algunos eruditos lo identifican como el primer rey de Axum, es muy posible que fuera un gobernante tributario menor. No se conoce el año exacto de su reinado, pero se estima que fue alrededor del siglo I. Se le menciona en el *Periplo del Mar Eritreo* como gobernante de Axum, y su capital era Adulis. Sin embargo, algunos estudiosos creen que su poder se limitaba a la ciudad y que no tenía influencia real sobre todo el reino de Axum. Adulis era una ciudad a orillas del mar Rojo, y como tal, su economía prosperó. Si Zoskales era el gobernante de Axum, entonces todo el reino había desarrollado para ese momento una economía fuerte y una demanda de bienes de lujo extranjeros. Se cree que, durante este período, la influencia de la ciudad de Axum creció en las zonas circundantes de Etiopía y en la costa del mar Rojo. Se convirtió en el centro gubernamental del reino, y se estableció una monarquía.

En la época del rey GDRT (se cree que es Gadarat), que gobernó a principios del siglo III, Axum se había convertido en una potencia política y militar capaz de enviar sus fuerzas a través del mar Rojo para luchar en el extranjero. Axum incluso tenía guarniciones en los territorios de Arabia, donde se descubrieron por primera vez las inscripciones que mencionan a GDRT. De acuerdo con estas inscripciones, Axum y GDRT eran aliados del rey de Saba. Juntos, lucharon contra el reino Himyarita (Yemen), que controlaba las rutas comerciales del mar Rojo. Aplastaron el control marítimo Himyarita y expandieron su reino en ese territorio.

Axum debió tener mucho poder durante el gobierno de GDRT para poder cruzar el mar Rojo y luchar una guerra en territorio extranjero. El hecho de que las tierras altas del sur del actual Yemen estuvieran bajo el control de Axum es prueba de la riqueza del reino. GDRT no solo pudo financiar la flota necesaria para la expedición militar, sino que también logró mantener y desarrollar aún más los territorios conquistados. GDRT fue el primer rey conocido de Axum que participó en la política exterior de Arabia del Sur. Él comenzó la tendencia, que terminaría con una invasión a gran escala de estos territorios en 520 cuando el rey Kaleb gobernó.

El período de la historia de Axum desde la época del gobierno del rey GDRT hasta principios del siglo IV se conoce como el período «Sur de Arabia», ya que toda la información disponible sobre el reino proviene de fuentes del Sur de Arabia. Debido a que las escrituras árabes no incluyen vocales, los nombres siguen siendo conocidos solo como GDRT, ADBH, ZQRNS y DTWNS. Los historiadores tuvieron que añadir las vocales por conveniencia, no por precisión histórica. Por lo tanto, GDRT podría ser conocido como Gadarat, pero no podemos estar seguros de que ese era su nombre. ADBH es conocido como Adhebah o Azeba, pero su nombre podría haber sido completamente diferente.

Las inscripciones de Arabia del Sur mencionan a los reyes axumitas porque formaron parte de las campañas militares que afectaban sus territorios. A pesar de los diversos relatos de guerra en las inscripciones, ninguno habla directamente de los Axumitas. Refieren las historias de los reyes de Saba e Himyar, enemigos de Axum en varias ocasiones. Sin embargo, a partir de estos textos podemos saber que Axum poseía territorios en Arabia del Sur por los cuales valía la pena luchar. Los axumitas también fueron aliados de Saba e Himyar en diferentes épocas y por diferentes razones. Esto pone en evidencia que los reyes de Axum tenían presencia política en Arabia del Sur y eran lo suficientemente influyentes para cambiar el curso de las guerras. En algún momento entre el 160 y el 210 d. C., Gadarat se alió con el rey Alhan Nahfan de Saba contra Himyar. Los axumitas probablemente tenían interés en la región debido a las rutas comerciales del mar Rojo, y tuvieron presencia, aunque menor, en la región hasta la conquista persa siglos después.

Después de la muerte del rey Alhan Nahfan, su hijo y sucesor, Sha'ir Awtan, rompió la alianza con Gadarat de Axum. Posiblemente al joven gobernante no le gustaba que Axum tuviera poder en Arabia del Sur y considerara al reino africano como una amenaza en lugar de un aliado. Sha'ir Awtan se alió con los reyes de Hadhramaut e Himyar, regiones de Arabia del Sur, tras lo cual los axumitas sufrieron su primera derrota conocida. Sin embargo, las fuerzas conjuntas nunca lograron expulsar a los axumitas de Arabia del Sur, y su influencia en la región continuó.

En 240, el poder había cambiado de manos, y el rey de Himyar se alió con el rey ADBH de Axum y su hijo GRMT (leído como Girma, Garima o Garmat). Lucharon contra los reyes sabios Ilsharah Yahdub y Yazzil Bayyin, quienes acusaron a los axumitas e himyaritas de violar el tratado de paz. GRMT perdió la batalla, pero la influencia axumita continuó en la zona, lo que significa que no fueron expulsados. Más tarde aparecerían nuevas menciones de GRMT como quien luchó en las guerras de Axum en el territorio de Arabia del Sur. En aquella época, los reyes axumitas comenzaron a asumir el título de «rey de Saba e Himyar», lo cual podría significar el reclamo de soberanía sobre los reyes árabes. Pero las inscripciones de Arabia del Sur no lo mencionan. Es posible que el título fuera solo un intento de proclamar el dominio sobre los territorios, pero se desconoce su resultado.

Hay una gran laguna de evidencias en la historia de Axum para explicar el curso de acción de los reyes, su política o los pueblos que gobernaron. Se presume que fue durante esta época que gobernó Sembrouthes, uno de los más misteriosos reyes de Axum. Solo se le conoce por una inscripción griega que menciona su 24º año de gobierno. La inscripción se encontró en Daqqi Mahari, significativamente lejos al norte de Axum, en la actual Eritrea. La inscripción no dice mucho, pero confirma que fue el primer gobernante conocido en usar el título de «Rey de Reyes».

Los siguientes dos reyes de Axum lideraron las invasiones al reino Himyarita. Aproximadamente en 267/78 d. C., DTWNS y ZQRNS se aliaron con al-Ma'afir y atacaron Himyar. Aún se desconoce si DTWNS (Datawnas) y ZQRNS (Zaqarnas) fueron co-gobernantes o si se sucedieron en muy poco tiempo. Incluso se desconocen los resultados de su invasión, pero renovaron la participación de los axumitas en la política de Arabia del Sur.

Del lado etíope, no se sabe nada de los primeros reyes de Axum, ya que la fecha de la lista de reyes etíopes es muy posterior. Se erigió siglos después de la caída del reino de Axum, y trata sobre los reyes-héroes mitológicos más que de los reales. A menudo, los reyes de la lista no coinciden con los reyes históricos, y a los arqueólogos les resulta difícil confiar en la historia tradicional etíope para realizar su trabajo. Desafortunadamente, la historia temprana de Axum obliga a especular y asumir, ya que no existe evidencia.

De Endubis a Ezana

Endubis, quien gobernó aproximadamente desde el 270 hasta el 300, fue el primer rey conocido de Axum en emitir monedas. Se han descubierto monedas de oro, plata y bronce, y los historiadores las han utilizado para seguir la cronología de Axum. La aparición de las monedas da a los eruditos una razón para creer que Axum se volvió lo tan poderoso para compararlo con sus vecinos, como el reino de Kush y Egipto. Desde este punto, la historia de Axum se conoce a través de la acuñación de monedas, pues la arqueología proporciona poca información. La única evidencia arqueológica de la existencia de la mayoría de los reyes axumitas conocidos, sin la cual habrían sido completamente olvidados, son las inscripciones en las monedas.

Endubis usó el sistema monetario romano como base para el suyo. Sin embargo, usó su propio diseño para las monedas, lo cual supone una herramienta de propaganda. El hecho de que los reyes posteriores añadieran o quitaran motivos al diseño de las monedas a medida que la situación en el reino cambiaba refuerza tal teoría. Las monedas también introdujeron un nuevo título para los reyes de Axum, que permanecería hasta el siglo VI, aunque reaparecería más tarde. El título es «Bisi», y muchos eruditos lo interpretan como «be'esya», que se traduce del idioma Ge'ez (semita del sur) como «hombre de...». El título no iba seguido del nombre del gobernante, sino del nombre que representaba a la tribu del rey o una designación militar.

Los reyes paganos de Axum eligieron símbolos como el disco y la media luna para sus monedas. En el año 333 d. C., el rey Ezana (de quien se tratará un poco más adelante) se convirtió al cristianismo y comenzó a usar una cruz como símbolo. Así, podemos diferenciar a Endubis, Áfilas, Wazeba y Ousanas como reyes paganos, todos predecesores de Ezana, aunque no se mencionan en ningún otro lugar que en las monedas. Desafortunadamente, las monedas de los gobernantes paganos dicen poco sobre la situación política del reino de Axum durante sus reinados. Quizás la única conclusión posible es que Wazeba y Ousanas fueron co-gobernantes en un momento dado, pues una emisión de las monedas combina el diseño del anverso de Wazeba con el diseño del reverso de Ousanas. Las monedas en las que se representa a Wazeba como único gobernante son muy escasas, lo cual lleva a concluir que gobernó durante un tiempo muy corto.

Todas las monedas emitidas empleaban el idioma griego, pues se utilizaban principalmente para el comercio exterior. Aunque Axum tenía su propio idioma Ge'ez, que pertenecía al grupo de lenguas etíopes semíticas del sur, el griego se usaba comúnmente para facilitar el comercio. Solo las monedas del rey Ezana empleaban el idioma Ge'ez en lugar del griego, lo que podría sugerir que durante su gobierno el comercio exterior se vio afectado, y la importación o exportación de bienes se detuvo. Sin embargo, es poco probable, pues el poder del reino de Axum continuó en ascenso. Es más probable que el rey Ezana tratara de fomentar el uso interno de las monedas en Etiopía, y no exclusivamente para el comercio exterior.

Las inscripciones de Arabia del Sur dejan de mencionar a los reyes de Axum alrededor del año 270 d. C. Es posible que durante el reinado de Endubis, o tal vez de Aphilas, Himyar se tornara lo suficientemente poderoso como para anexar el reino de Saba. Hadhramaut cayó alrededor del año 290 d. C., y el rey de Himyar, Shamir Yuhar'ish, tomó el título de rey de Saba y Hadhramaut. No se mencionan a los etíopes ni a sus reyes axumitas. Si lograron mantener algún territorio, debió ser un distrito menor en la costa del mar Rojo.

A menudo se identifica al rey Ousanas como Ella Allada, o Ella A'eda, de la historia tradicional etíope que refiere la cristianización del reino. Aunque se cree que el siguiente rey, Ezana, fue el primero en adoptar el cristianismo porque empezó a emitir monedas con el símbolo de la cruz, Ella Allada (conocido por el nombre en sus monedas como Ousanas) fue el primero en aceptar la religión, si las historias tradicionales son ciertas. La historia cuenta que dos niños tirios, Frumencio y Aedesius, regresaban en barco de la India. Se detuvieron en la costa del reino de Axum para reabastecerse. Allí fueron atacados, y la tripulación del barco asesinada. Los chicos se salvaron y fueron llevados al rey Ella Allada como regalo. Al rey de Axum le gustaron los chicos y eventualmente ascendió a Aedesius como su copero personal y a Frumencio como su tesorero. Cuando el rey murió, Frumencio se convirtió en regente del reino, pues el hijo del rey era un menor. Invitó a los colonos cristianos a Axum y a construir iglesias.

Cuando el hijo del rey creció, se les permitió a Aedesio y a Frumencio regresar a su casa en Tiro. Aedesio nunca volvió al reino, pero Frumencio fue elegido obispo de Axum más tarde, y regresó para pasar allí el resto de su vida. Su tarea era difundir la fe a través del reino de Axum, y debido a sus esfuerzos logró convertir al joven rey Ezana. Puede que Ousanas nunca se convirtiera al cristianismo, pero simpatizaba con los dos chicos que introdujeron la religión.

Ezana es el rey más conocido de Axum y el primero en dejar inscripciones propias para testimonio de la historia. Gobernó aproximadamente desde el año 320 hasta el 360 d. C., y fue conocido por sus numerosas campañas militares. Sin embargo, los etíopes creen que su acción más significativa fue aceptar el cristianismo en torno al año 333. Debido a la conversión a la nueva fe, debió renunciar a la tradición de proclamarse descendiente del dios pagano Mahrem.

Los estudiosos creen que la conversión del reino de Axum al Cristianismo fue diseñada para acercarlo a Roma o Constantinopla. Sin embargo, Ezana era reacio a obedecer ciegamente las ordenes de las ciudades romanas. En el año 356, el emperador romano Constancio II escribió a Ezana, sugiriendo que reemplazara al obispo Frumencio por Teófilo el indio. Sin embargo, no hay pruebas de que Ezana se molestara en responder al emperador romano, y mucho menos de que hiciera algo para remover a su tutor y ex-regente del cargo de obispo. Es posible que el rey axumita retrasara su respuesta a propósito, pues anticipó la muerte del emperador romano, ocurrida en el año 361.

Los títulos de Ezana sugieren que gobernó las vastas áreas de Yemen además de toda Etiopía y Sudán. Llevó el título de «Rey de Saba e Himyar»; sin embargo, al parecer no tenía control real sobre los territorios del sur de Arabia. Solo eran títulos teóricos que sugieren algún tipo de arreglo entre Axum y los reinos del actual Yemen. Tal vez Axum siguió controlando pequeños territorios costeros al otro lado del mar Rojo, o tal vez los títulos fueron heredados tradicionalmente de sus predecesores.

En cuanto a las expediciones militares, de las cuales dejó detalladas descripciones, en la mayoría Ezana sofocó disturbios en los reinos circundantes mientras recolectaba tributos. Sin embargo, se describió un gran conflicto donde los ejércitos de Axum lucharon contra los nubios y los kushitas. La evidencia de este conflicto se encontró tanto en la Etiopía cristiana como en la pagana Meroe. Mientras que la inscripción etíope celebra la victoria y la dedica al dios cristiano, la de Meroe la dedica al dios Ares o Mahrem, lo que sugiere que el conflicto se produjo durante los primeros años del reinado de Ezana cuando todavía era pagano, o bien relata un conflicto completamente distinto que tuvo lugar antes de la época de Ezana.

La Estela de la Victoria encontrada en Meroe está escrita en Ge'ez, y como tal, muchos historiadores la ven como prueba de que el reino de Axum destruyó el reino Meroítico de Kush. Sin embargo, otros argumentan que la estela fue un regalo para los Kush porque Axum envió ayuda para sofocar la rebelión nubia. Afirman que la estela no describe la victoria de Axum sobre la ciudad de Meroe sino sobre los nubios rebeldes. La creencia de que Axum invadió Kush y lo destruyó no es muy popular pues varias evidencias arqueológicas apuntan a la inestabilidad económica y política como las principales razones de la caída de los kushitas.

De Ezana a Kaleb

El *Códice Teodosiano* sugiere que hubo contacto recurrente entre el Imperio romano y el reino de Axum. El *Códice Teodosiano* es una compilación de las leyes romanas, y una de ellas establece que cualquiera que viajara en misión oficial del Imperio a Axum no podía permanecer en Alejandría por más de un año. De lo contrario, perdería el derecho a ser admitido en el imperio. Esta ley se estableció en la misma época que Constancio II envió su carta a Ezana (356). Las monedas emitidas a principios del siglo V también ligaban a los axumitas con el Imperio romano. Tienen inscrita la traducción del lema favorito del emperador romano Constantino: «In hoc signo vinces» («Por el signo de la cruz vencerás»). Solo un rey axumita emitió tales monedas, y fue registrado como MHDYS (Mehadeyis).

Los lemas cristianos se usaban a menudo en las monedas de finales del siglo IV y principios del V, puesto que el clima político estaba maduro para promover el cristianismo. Como se sugirió antes, las monedas tenían un propósito propagandístico, y reflejaban el clima político del reino. Todos los reyes después de Ezana, al menos aquellos cuyas monedas ofrecen evidencia arqueológica, profesaban la fe cristiana, y como tal, se convirtieron en santos de la Iglesia ortodoxa etíope Tewahedo. Aunque Ezana y su hermano, Saizana, son venerados como santos hoy en día, la tradición etíope se refiere a ellos como Abraha y Elesbaan. Los eruditos creen hoy en día que estos eran los nombres de bautismo de los hermanos reales.

A medida que el cristianismo se extendió por el reino de Axum, las costumbres funerarias cambiaron. Las últimas y más grandes estelas funerarias están fechadas a finales del siglo IV o principios del V. El monumento monolítico se derrumbó muy poco después de su construcción, probablemente durante el reinado del rey Ouazebas, cuyas monedas fueron encontradas debajo.

El primer signo de la decadencia del reino de Axum podría encontrarse en una carta escrita por un hombre llamado Paladio. Es posible, pero no seguro, que fuera un obispo de Helénopolis que vivió desde el año 368 hasta el 431. Su tarea era viajar a la India y enviar un informe sobre la filosofía brahmán, pero se desconoce a quién iba dirigida la carta. En esta cuenta la historia de un abogado egipcio que se detuvo en Axum de camino a la India. Paladio se refiere al rey de Axum como *basilikos micros*, un título que podría interpretarse como «un reyezuelo menor». Sin embargo, los eruditos todavía discuten cómo interpretar correctamente la palabra *basilikos*, pues al parecer, en algunos casos, se atribuye a personas de gran importancia, especialmente cuando se trata de gobernantes nubios. Sea cual sea el significado de *basilikos*, el atributo adjunto *micros* es ciertamente poco halagador.

El rey de Axum mejor documentado, además de Ezana, es Kaleb. Su inscripción en Ge'ez es KLB 'L SBH WLD TZN, y es la primera inscripción con vocales del nombre de un rey por lo tanto, sabemos que su nombre completo era Kaleb 'Ella Elesbaan, hijo de Tazena. Kaleb, probablemente una variación del nombre bíblico Caleb, era su nombre de nacimiento, pero también se le conoce por su nombre real, 'Ella Elesbaan, y sus versiones griegas, Hellesthaeus o Ellestheaeus. Desafortunadamente, al igual que con los otros reyes de Axum, no se conservan las fechas de su vida, pero la conclusión general de los historiadores es que nació alrededor del año 510, gobernó alrededor del año 520 y murió cerca del año 540.

Como los reyes axumitas a menudo usaban varios nombres, no se ha descubierto a quién se refería Kaleb al llamarse el hijo de Tazena. No existen pruebas que arrojen luz sobre aquel nombre pues ningún rey gobernó como tal. Es posible que Kaleb hablara de algún antepasado anterior a la acuñación de monedas. Tal vez era importante enfatizar su vínculo con la dinastía real para probar la legitimidad de su gobierno.

Otras teorías buscan al gobernante que podría ser el padre de Kaleb. Es muy posible que uno de los anteriores reyes axumitas usara Tazena como su nombre real, pero se le conoce con otro nombre, tal vez su nombre de nacimiento. Desde el punto de vista numismático, la elección obvia sería el rey Ousanas, cuyas monedas son anteriores a las de Kaleb. Aparte de las monedas de Kaleb que lo describen como el hijo de Tazena, este nombre aparece en la lista tradicional de reyes de Etiopía. Sin embargo, esa lista fue escrita siglos después de la caída del reino de Axum, y a menudo no coincide con los hallazgos arqueológicos. Lo cual no significa que deba ser completamente ignorada.

Además de las monedas, se puede encontrar información sobre el gobierno de Kaleb en varios textos. En 1920, un libro escrito en el idioma sirio clásico fue encontrado en Yemen. Las páginas del libro se usaron como relleno para la portada de un libro del siglo XV.

Afortunadamente, los eruditos lograron reconstruir alrededor de cincuenta y dos páginas, y lo llamaron el *Libro de los Himyaritas*. Fue escrito a principios del siglo V, pero las páginas conservadas eran de una copia firmada por el autor, quien añadió la fecha cuando terminó el trabajo: 10 de abril de 932. El *Libro de los Himyaritas* debió ser un trabajo extenso porque la lista de capítulos alcanza el número cuarenta y dos. Gran parte del libro fue destruido, pero algunos fragmentos importantes para la historia de Axum fueron preservados. El texto menciona una guerra en Himyar librada entre Kaleb y el rey judío Yusuf Asar Yathar (conocido como Dhu Nuwas). También se menciona otra expedición axumita a Himyar liderada por alguien llamado Hiuna. Sin embargo, los estudiosos no pueden vincular este nombre con ningún rey axumita conocido. Es posible que gobernara antes de que se emitieran las monedas en todo el reino. Existe una teoría que lo conecta con el rey Kaleb, en cuyo caso Hiuna sería un general militar. En una de sus inscripciones, Kaleb escribe que envió a HYN (posiblemente Hiuna) BN ZSMR con tropas para fundar una iglesia en Himyar.

Debido al *Libro de los Himyaritas*, sabemos que Kaleb luchó contra el rey judío en 520, quien perseguía a los cristianos de Himyar. Kaleb derrotó y mató al rey Yusuf, y en su lugar nombró a un cristiano llamado Sumuafa Ashawa, nativo de Najran, donde la mayoría de los cristianos eran perseguidos. Debido a la gran cantidad de fuentes disponibles que hablan de estos y otros eventos del reinado de Kaleb, se le considera a menudo el rey axumita más importante. Sin embargo, muchas de estas fuentes son posteriores, y celebran repetidamente las acciones de Kaleb para preservar el cristianismo. Sus acciones en Himyar le consiguieron un lugar entre los santos etíopes. También se le incluyó entre los mártires romanos, aunque pertenecía a la ortodoxia oriental, considerada hereje por la Iglesia católica romana.

Aunque todas las fuentes celebran a Kaleb por su defensa del cristianismo, el verdadero propósito de su invasión a Yemen podría ser político. Algunas fuentes mencionan que Himyar pertenecía a Axum antes de que el rey judío pudiera apropiárselo cuando murió el sucesor designado al trono axumita. Era invierno, y los axumitas no podían cruzar el mar Rojo para defender sus territorios en Arabia. Si Kaleb permitía que Yusuf conservara el trono, no solo los cristianos serían perseguidos, sino que el rey judío tendría acceso a todas las rutas comerciales del mar Rojo, y se convertiría en una gran competencia para la economía de Axum.

Tras la muerte del virrey de Kaleb, Sumuafa Ashawa, en el año 525, un general axumita llamado Abraha se proclamó rey. Probablemente había conspirado para deshacerse del virrey nativo, y en consecuencia Kaleb envió un ejército de 3.000 hombres para castigar a Abraha y sus partidarios. Sin embargo, el ejército desertó. Mataron a su líder y se unieron a Abraha. Enfurecido, Kaleb envió otro ejército, pero no pudo vencer a Abraha. Finalmente, se vio obligado a dejarlo gobernar como rey de Himyar. Por razones desconocidas, Kaleb abdicó del trono, envió su corona a Jerusalén para ser exhibida en el Santo Sepulcro, y luego se retiró a un monasterio.

El hijo de Kaleb lo sucedió. Se le conoce por el nombre de W'ZB (Wa'zeb), y añadió a su nombre «hijo de Ella Atsbeha», una variación del nombre real de su padre. Sin embargo, no se sabe nada más sobre él. Las monedas que datan de su gobierno no son concluyentes, pues tienen nombres diferentes. Estas monedas eran de menor calidad, lo cual suele atribuirse al declive económico del reino de Axum. El declive comenzó durante el reinado del rey Kaleb. Las guerras a través del mar Rojo costaron demasiado dinero y mano de obra. El declive del reino comenzó a mediados del siglo VI.

Es posible que la Plaga de Justiniano (541-549) llegara al reino de Axum, aunque algunas fuentes afirman que comenzó en Etiopía. Los axumitas utilizaron el término «Etiopía» desde el siglo IV para los territorios que se encontraban más allá de su reino, y aun no es claro si las fuentes se refieren a Axum o a otras partes de África al mencionar a Etiopía. Si la plaga llegó a Axum, podría explicar por qué Kaleb y sus sucesores fueron incapaces de controlar o deshacerse del rey Abraha en Yemen.

Cuando el hijo de Abraha heredó el trono de Himyar, declaró lealtad al reino de Axum y pagó tributo a su rey. Sin embargo, su hermano, Ma'd-Karib, se rebeló y pidió ayuda a Justiniano el Grande, emperador romano de Oriente. Cuando se negó, Ma'd-Karib se dirigió a Khosrow I, emperador sasánida de Persia. Envió 800 hombres para ayudar a Ma'd-Karib, aunque las distintas fuentes mencionan cifras diferentes. Para algunas, el ejército persa era de 3.600, mientras que otras dicen 7.500. La verdad es esquiva, pero los cálculos modernos van más allá, hablando de más de 16.000 almas. La guerra entre los axumitas y los persas ocurrió por completo en los territorios de Arabia, y Masruq, otro hijo de Abraha, estuvo al frente de los ejércitos axumitas como virrey. Masruq murió en la batalla, y los axumitas fueron derrotados. Los persas conquistaron Yemen. Sin embargo, entre 575 y 578, los axumitas regresaron e intentaron recuperar sus preciadas posesiones. Persia envió otro ejército y logró expulsar a los axumitas de Arabia para nunca regresar. Yemen permaneció en manos de Persia hasta el siglo VII.

La decadencia del reino

Hay muchos factores que influyeron en la decadencia del reino de Axum, así como muchas teorías y conclusiones al respecto. Las pruebas proporcionan una idea de lo ocurrido alrededor de la ciudad de Axum. Además de las guerras en Yemen, que fueron muy costosas, la economía del reino se vio afectada por la tierra circundante a la ciudad de Axum. Hasta aquel momento, la tierra era fértil y capaz de alimentar a la población. Sin embargo, las pruebas climáticas sugieren que no hubo suficiente lluvia en la región a principios del siglo VII. Se gastó mucho dinero en la importación de alimentos, y la producción local se detuvo. A finales del siglo VII y principios del VIII, el pueblo de Axum se vio obligado a explotar la tierra todo lo que pudo, lo cual solo sirvió para alargar su decadencia. Eventualmente, las otrora fértiles tierras de Axum tuvieron que ser abandonadas, y la gente se retiró al sur.

Al mismo tiempo, Axum perdió los territorios que tenía en la costa del mar Rojo a manos del Califato de Rashidun. El pueblo buscó protección en las tierras altas del sur, abandonando su ciudad capital de Axum. Debido a la expansión del islam, el nombre de Axum ya no se aplicó más al pueblo etíope. Aunque las fuentes árabes todavía se referían a Axum como un gran y rico reino, lo llamaban con un nombre diferente: «Habashat». Alrededor de la misma época, durante el siglo VII, el reino de Axum cesó por completo su emisión de monedas. Debido al rápido declive de la economía quedaron obsoletas. En su lugar, se utilizaron telas y sal para el trueque, y parece que todo el comercio de los axumitas durante este período se limitó a los países vecinos de África y Arabia.

El reino de Axum comenzó a ganar algunos territorios en el sur, pero aquello no le devolvió el poder económico ni su antigua gloria. Al perder la costa del mar Rojo, Axum quedó económicamente aislado, condenado a un declive constante. Además, las relaciones de Axum con el mundo exterior eran con los estados islámicos, y al ser un reino cristiano empeoró aún más el aislamiento. Los obispos etíopes eran nombrados desde Alejandría, pero incluso Egipto era un estado musulmán, y todos los nombramientos tenían que ser aprobados por un gobernador musulmán.

Cuando la ciudad de Axum fue abandonada, empezaron a surgir nuevas capitales. Sin embargo, las fuentes no son consistentes. Los autores árabes escribieron sobre Jarmi o Jarma y Ku'bar o Ka'bar. Estas ciudades fueron mencionadas en el siglo IX, pero el astrónomo Al-Battani, que era del siglo X, menciona la ciudad de Axum, aunque con el nombre ligeramente cambiado de «'Ksumi». Es posible que la ciudad de Axum todavía existiera, pero reducida a un simple pueblo o asentamiento. Ya no era una capital, pues en 833, otro astrónomo musulmán mencionó a Jarma como la capital del reino de Habash (Axum). Las menciones de la ciudad continuaron en varias fuentes árabes a lo largo de los siglos IX y X como la ciudad de los reyes de Habasha. Ku'bar fue llamada más o menos al mismo tiempo la capital del reino de Habas, pero no se sabe si era una ciudad diferente o simplemente Jarmi con otro nombre. Estas ciudades se han perdido en la historia.

La historia tradicional etíope incluye la historia de la reina judía Gudit, a quien se le adjudica la destrucción del reino de Axum. Según la leyenda, ella ordenó la destrucción de las iglesias, ciudades y campos de Axum. También quemó libros, obras de arte y todo lo relacionado con la anterior dinastía gobernante. Estaba decidida a poner fin a la dinastía de Axum. Sin embargo, la historia de Gudit y la destrucción de Axum solo se conserva en la historia oral. Cualquier material escrito sobre el tema es una transcripción de esa historia oral, transmitida a través de los años.

Sin embargo, hay evidencia de la quema de iglesias alrededor de 960, que correspondería al período de Gudit, si existió. Pero no hay evidencia de la presencia de una reina judía en Axum. Aunque hay pruebas de que una gobernante femenina rigió Axum en el siglo X, es más probable que fuera la reina pagana Bani al-Hamwiyah, quien habría invadido la región desde el sur.

El reino de Axum continuó durante el siglo XII bajo la nueva Dinastía Zagwe. Pero el reino era muy débil, y solo poseía una fracción del territorio que una vez tuvo. El último rey Zagwe fue asesinado por Yekuno Amlak, fundador de la Dinastía Salomónica, que duró hasta 1974. El reino de Axum terminó oficialmente, y en su lugar se erigió el nuevo Imperio etíope. Sin embargo, la cultura axumita continuó viviendo a través de sus descendientes. El pueblo siguió siendo el mismo, independientemente del reino o imperio al que perteneciera, y la influencia axumita en la arquitectura y el arte de Etiopía se puede reconocer hoy en día.

Capítulo 5 - El Imperio de Ghana

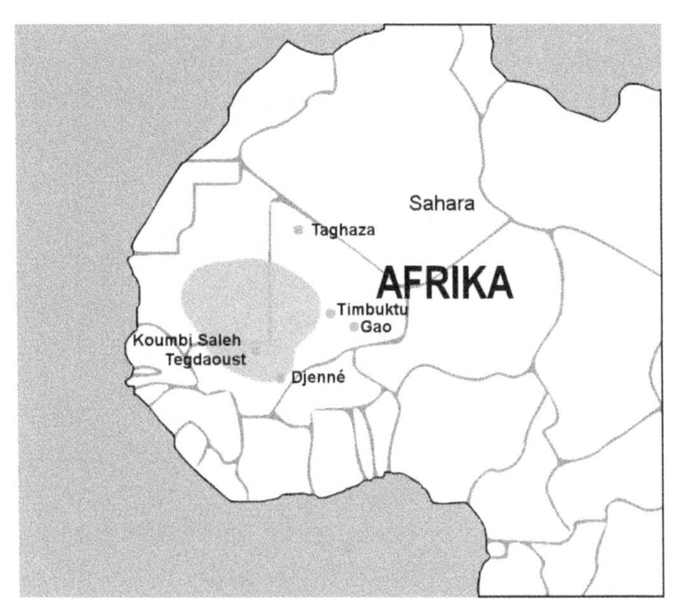

Una representación del Imperio de Ghana en su apogeo, de color verde

El territorio actual de Ghana es diferente del antiguo reino o imperio medieval de Ghana. El país que conocemos hoy en día recibió el nombre del imperio, o mejor dicho, el del título de su gobernante. El nombre del imperio era en realidad Wagadu (Wagadou), y estaba gobernado por un rey cuyo título oficial era «Ghana». Los eruditos no hayan consenso respecto a la fecha de fundación del Imperio de Ghana. Hay evidencia arqueológica de un asentamiento anterior al año 300 d. C. Sin embargo, ese asentamiento pertenecía a la cultura Dhar Tichitt que abandonó la zona, probablemente empujados hacia el sur por la invasión de las tribus nómadas. Las tribus nómadas que se asentaron en la zona entre el año 300 y 500 pertenecían al pueblo Soninké, y fueron ellos quienes nombraron la zona Wagadu.

Pero si la Ghana moderna no tiene nada que ver con el antiguo imperio, ¿dónde se encontraba exactamente? Afortunadamente, es posible precisar su ubicación debido a varias fuentes escritas de los árabes que se establecieron en Marruecos y Sudán durante el siglo VII. La arqueología es otra gran fuente de información, aunque llegó muy tarde a la región. De hecho, el primer gran hallazgo ocurrió en 1969 con el descubrimiento de Dhar Tichitt, el asentamiento más antiguo de África Occidental. El Imperio de Ghana no tenía acceso a la costa atlántica. Quedaba en una zona sin salida al mar a unas cien millas al norte del río Níger y ocupaba las praderas del Sahel. Hoy en día, estos territorios pertenecen al oeste de Malí y al sudeste de Mauritania.

La leyenda del Reino de Wagadu

El pueblo Soninké está orgulloso de sus narradores, y a través de la música y los cuentos, la leyenda de su reino se ha transmitido de generación en generación. Aunque las historias han cambiado a través del tiempo, ya que cada generación añade sus propios detalles o se olvida de los antiguos, la historia de los orígenes de Wagadu es esencialmente igual. La tradición oral del pueblo Soninké habla de un antepasado común, Dinga, que llegó a Ghana desde Oriente Medio.

Dinga se asentó en un pueblo llamado Dia, situado en el Delta del Níger. Se casó y tuvo dos hijos, que se mudaron a diferentes pueblos en las praderas del Sahel y se convirtieron en los antepasados del pueblo Soninké. Tanto Dinga como sus hijos se mudaban a menudo de un lugar a otro. Esta es una parte de la leyenda que explica por qué los Soninké se encuentran en varias partes del Sahel. Eventualmente, Dinga llegó a un lugar del actual Malí, al suroeste de la ciudad de Nioro du Sahel. En aquel entonces esta tierra estaba habitada por espíritus, con quienes Dinga libró una batalla mágica. Después de derrotar a todos los espíritus, se casó con sus hijas y tuvo muchos hijos, que se convirtieron en los líderes de muchos clanes soninkés. El clan Cisse se convirtió finalmente en la dinastía gobernante de Wagadu.

La leyenda continúa y cuenta que Dinga era un hombre viejo y ciego cuando debió decidir cuál de sus hijos sería digno de convertirse en jefe después de su muerte. Después de que decidiera proclamar a su hijo mayor como su sucesor, el más joven, llamado Diabe Cisse, se disfrazó de su hermano y engañó a Dinga para que le diera todos sus poderes de jefe. Pero tras la muerte de Dinga, Diabe Cisse tuvo que huir de la ira de su hermano y se escondió en el desierto. Allí encontró un tambor mágico que, al ser golpeado, convocó a cuatro comandantes de caballería de las cuatro partes del mundo. Reconocieron a Diabe Cisse como su líder y se convirtieron en jefes de las cuatro provincias una vez que se fundó el reino de Wagadu.

Ya con seguidores, Diabe Cisse necesitaba un lugar para establecerse. Encontró un lugar perfecto en el lugar que se convertiría en Koumbi Saleh, la capital del Imperio de Ghana. Pero el lugar estaba custodiado por una pitón gigante. El joven jefe hizo un trato con la serpiente. La pitón, llamada Bida, seguiría siendo su guardián y él se establecería en el lugar. Sin embargo, Bida exigió una hermosa chica como sacrificio cada año. A cambio, la serpiente garantizaba mucha lluvia en la región, y por ende, la fertilidad del suelo.

Así fue fundado el reino de Wagadu. Los cuatro comandantes de Diabe Cisse se convirtieron en los clanes aristocráticos, llamados wago, y dieron el nombre al reino, ya que Wagadu es una versión abreviada de su nombre original wagadugu - «la tierra de wago». También puede haber verdad en la historia del sacrificio de las niñas. Según la leyenda, cada año una provincia diferente tenía que proveer a la niña. Esta práctica pudo tener como objetivo promover la unidad de las provincias y sus caciques.

Las generaciones posteriores añadieron sus propias historias a la leyenda de Wagadu. Una de ellas cuenta la historia del declive del reino a través de una alegoría. Tras muchas generaciones, una joven, elegida para ser sacrificada a Bida, fue prometida a un aristócrata. Enojado, el joven saltó delante de la pitón y le cortó la cabeza. Mientras moría, Bida maldijo el reino con una sequía y la falta de oro.

El pueblo Soninké se vio obligado a abandonar su capital y buscar suerte en otro lugar. Cuatro provincias, dirigidas por diferentes clanes, rompieron los lazos que las unían en un solo reino. La historia de la maldición simboliza el cambio climático que se produjo en el Sahel. La lluvia cesó, haciendo que la tierra se secara y fuera imposible de trabajar. El cambio climático puede haber llevado al declive gradual del reino de Wagadu. En el siglo XIII, el reino dejó de existir por completo.

Comercio

El pueblo Soninké comenzó a comerciar con otros pueblos bereberes de la región del Sahara. De hecho, estas tribus nómadas saharianas fueron sus intermediarios en el comercio con las regiones africanas al norte del desierto del Sahara. Este comercio permitió que el Imperio de Ghana emergiera como uno de los reinos más ricos de África Occidental. También controlaban una fuente de oro, que no provenía de las minas sino que era arrastrado desde las tierras altas por las lluvias excesivas. Simplemente se recogía de los arroyos creados por las lluvias. Esta es otra razón de la caída del Imperio de Ghana, pues el cambio climático significó menos lluvias y, a su vez, que el oro ya no afluía a la región.

El rey de Ghana era uno de los reyes más ricos de África porque se quedaba todas las pepitas de oro para sí, y solo permitía a la gente que las recogía quedarse con el polvo de oro. Otra razón de su riqueza era el impuesto comercial de la sal. Quienes importaban sal debían pagar una moneda de oro, pero quienes la exportaban debían pagar dos. El comercio temprano con los bereberes del Sahara proporcionó caballos y hierro a los Soninkés de Ghana. Las armas que fabricaron y la implementación del caballo para la guerra le dio a Ghana el dominio sobre otros clanes más pequeños. El hierro importado también se utilizó para fabricar herramientas para trabajar la tierra. Su tierra fértil atrajo mucha gente a la capital de Wagadu, Koumbi Saleh. A su vez, la ciudad se convirtió en un importante puesto comercial.

El comercio a través del desierto del Sahara y la subyugación de los clanes vecinos elevó el estatus de Ghana de un reino a un imperio. Los Soninké comerciaban con el pueblo del Sahara cobre, dátiles y sal. Pero también exportaban los productos de sus sabanas, como esclavos, herramientas de hierro, armas y utensilios, ganado, pieles, telas, cerámica de arcilla, hierbas medicinales, alimentos (especialmente diversos granos), especias, frutas y miel. Uno de los principales artículos de exportación de Ghana eran las nueces de cola, que son ricas en cafeína y se utilizaban para eliminar rápidamente el hambre y revitalizar al cansado pueblo nómada. Las nueces de cola se siguen utilizando en África occidental como símbolo de hospitalidad, pero en el decenio de 1800 se exportaron a los Estados Unidos, donde se utilizaron como ingrediente sagrado de la Coca-Cola.

La posición del reino de Ghana le permitió controlar y dominar las rutas del Sahara utilizadas por las caravanas comerciales. Estos elaborados caminos del desierto conducían los productos y el oro de Ghana a las regiones distantes del Oriente Medio y el mar Mediterráneo. Allí, abordaban fácilmente los diversos barcos que navegaban alrededor del mundo conocido. En el siglo V, se introdujeron los camellos al norte de África, y se convirtieron en el animal más utilizado como medio de transporte en el desierto del Sahara. Este animal fue responsable del rápido desarrollo del comercio en África Occidental. Las caravanas comerciales consistían de entre 6 y 2.000 camellos, que llevaban la enorme carga sin necesidad de agua o comida durante muchos días.

El viaje por las rutas comerciales del Sahara duraba dos o tres meses, y se necesitaban guías expertos del pueblo bereber Sanhaya. Llevaban vidas nómadas en el Sahara y conocían todos los lugares donde había comida y agua disponibles. Sin ellos, una caravana comercial estaba condenada a desaparecer en los duros parajes del desierto.

Pero el Imperio de Ghana no solo controlaba el comercio del Sahara. Su posición única y su creciente poder económico le permitió controlar el comercio en el sur también. Allí, la sabana y las regiones forestales, que eran ricas en recursos, ofrecían productos para el consumo. Ghana también importaba productos del norte al sur, como vidrio, herramientas de hierro, seda, porcelana, joyas, perfumes, especias y azúcar. Ghana también tenía fácil acceso al norte y noroeste de África. Las rutas comerciales conectaban el reino con el Magreb, Egipto y Trípoli. Debido a su conveniente ubicación, Ghana era el punto de encuentro de muchos comerciantes que viajaban a través de África. Y el rey recaudaba impuestos de todos ellos, haciéndose cada vez más rico.

Las ciudades

Koumbi Saleh ha sido llamada la capital del Imperio de Ghana. Sin embargo, las fuentes que hablan de esta ciudad son a menudo contradictorias. La zona en la que se fundó la ciudad estaba habitada desde tiempos anteriores, como vimos en la leyenda de Wagadu, pero sigue siendo incierto si fue realmente la capital. La primera mención escrita de la ciudad es del siglo VIII cuando uno de los astrónomos persas la menciona en su escrito sobre el Imperio de Ghana. Fueron los primeros escritores árabes medievales quienes confundieron el título de Ghana con el nombre de la tierra, y como resultado, se le llama Ghana hasta el día de hoy.

El gran geógrafo e historiador musulmán, Al-Bakri, fue el primero en describir Koumbi Saleh en detalle. Vivió en Andalucía en el siglo XI, y aunque nunca pisó suelo africano, recopiló información de varios comerciantes y viajeros. Debido a que el mundo medieval estaba dominado por historias fantásticas en lugar de hechos reales, los escritos de Al-Bakri están llenos de errores. Sin embargo, ofrece una visión de la vida de la ciudad y su importancia para el comercio exterior. Uno de los primeros errores que cometió fue confundir el nombre de la ciudad con el nombre de la tierra. Por lo tanto, pensó que la capital de Ghana también se llamaba Ghana. Pero debido a su insistencia en llamarla capital, los estudiosos han concluido que escribió sobre Koumbi Saleh.

Al-Bakri describe la capital de Ghana como dos ciudades muy cercanas, a diez kilómetros de distancia. Una era la ciudad del rey, habitada por los paganos. La otra era una ciudad musulmana que tenía doce mezquitas. Entre ambas ciudades, los plebeyos vivían en una hilera de chozas y casas. Esto significaría que las dos ciudades estaban conectadas. Al-Bakri afirmaba que la ciudad musulmana se llamaba El-Ghaba, y la ciudad del rey, Ghana.

La primera evidencia arqueológica de Koumbi Saleh fue excavada en 1914 por un equipo francés de arqueólogos. Las ruinas se hallaron en la región del Sahel en el actual sur de Mauritania. Fueron fechadas en entre el siglo IX y el siglo XIV, y se descubrió una mezquita. No hay vínculos que permitan relacionar estas ruinas con ninguna descripción de Al-Bakri, y la segunda ciudad nunca fue descubierta en los alrededores. Sin embargo, el tamaño de la ciudad es importante. Según los cálculos modernos se cree que podría haber albergado a unas 20.000 personas. En aquella región, ese número significa una ciudad importante. Si Koumbi Saleh no era la capital del Imperio de Ghana, ciertamente era uno de los centros de comercio más importantes. La falta de pruebas que conecten las ruinas excavadas con la capital descrita por las fuentes árabes hace pensar a algunos historiadores que Koumbi Saleh no era la capital de Ghana.

Pero la tradición oral del pueblo soninké sigue afirmando que la capital de su reino era «Kumbi», o Koumbi, Saleh. Otros podrían haber dicho a Al-Bakri que la capital de Ghana estaba formada por dos ciudades, pero en el pasado era común que los musulmanes tuvieran distritos separados. Es posible que así fuera en el caso de la capital de Ghana y que el geógrafo musulmán simplemente malinterpretara las historias. Los arqueólogos han encontrado dos secciones de Koumbi Saleh, pero no están a seis millas de distancia como afirmaba Al-Bakir.

Otra ciudad comercial muy importante fue descubierta 125 millas al noroeste de Koumbi Saleh. Se trata de la ciudad llamada Awdaghust, que probablemente fue fundada durante la edad de oro del Imperio de Ghana a finales del siglo X o principios del XI. Al-Bakri también escribió sobre esta ciudad, describiéndola como grande, concurrida y bien construida. Fue construida a la sombra de una montaña estéril, y prosperó porque era una ciudad oasis en la ruta comercial transahariana. Su población estaba compuesta principalmente por comerciantes musulmanes del norte de África, pero también había algunos pueblos locales, probablemente de ascendencia bereber. Eran agricultores que cultivaban trigo, dátiles, higueras y henna (planta de la cual se produce el tinte rojo).

El islam y la decadencia del Imperio de Ghana

El islam llegó al pueblo bereber de la región del Sahara durante el siglo VIII. Provenía de Marruecos y otros estados del norte de África donde la dinastía Omeya había extendido su influencia. Sin embargo, los territorios subsaharianos se convirtieron casi dos siglos después, durante el reinado de la dinastía almorávide. A principios del siglo X, los almorávides estaban en la cima de su poder, pero los pueblos Sanhaya tardaron en convertirse. Los jefes de los clanes fueron los primeros en aceptar la nueva religión, pero el islam en general era mucho más débil en África Occidental debido a su distancia del epicentro del islam en la Meca.

Alrededor de 1042, el movimiento Almorávide comenzó a ganar impulso y se apoderó de las tribus bereberes del Sahara. Su principal preocupación era la debilidad del islam en África, y dedicaron sus vidas a enseñar las estrictas reglas de la religión. Querían que los seguidores africanos leyeran el Corán, dejaran de beber cualquier bebida alcohólica y comenzaran a ayunar y rezar varias veces al día. Para extender el movimiento por toda África, necesitaban unir a los clanes del pueblo Sanhaya del sur del Sahara. Las tribus se unieron a la federación política del movimiento Almorávide tan rápido que para 1048 el ejército reunido era lo suficientemente fuerte para desafiar a sus vecinos. En 1054, los Soninké del Imperio de Ghana perdieron Awdaghust, pero la federación no se detuvo allí. En cambio, cruzaron el Sahara y llegaron al sur de Marruecos.

La influencia de los almorávides continuó presionando al pueblo soninké de Ghana, y no tuvieron más remedio que abandonar su antigua religión, que adoraba a las serpientes, y unirse al islam. Sin embargo, el declive del reino no se produjo con la llegada del movimiento almorávide. Ghana estaba decidida a salvar su poderosa posición de potencia económica. Consiguieron recuperar Awdaghust y siguieron controlando las rutas comerciales del desierto del Sahara. Las pruebas arqueológicas tanto de Awdaghust como de Koumbi Saleh confirman que Ghana siguió siendo muy rica y poderosa al menos hasta el siglo XII.

Pero la lucha continuó. El pueblo Sanhaya estaba decidido a luchar por el control del comercio contra las garras de Ghana. Los constantes ataques fueron seguidos por el cambio climático, que presionó al pueblo soninké a abandonar sus ciudades, antes prósperas, para buscar tierras más fértiles. En el siglo XII, la decadencia de Ghana fue rápida y dejó un vacío de poder en África occidental. Gradualmente, los pequeños cacicazgos de la sabana comenzaron a unirse y formaron pequeños reinos alrededor de los ríos y lagos que aún tenían abundantes lluvias, como el Alto Níger. Durante el siglo XIII, los pequeños reinos se unieron para formar un estado, el cual se conocería como el Imperio de Malí.

Capítulo 6 - El Imperio de Malí

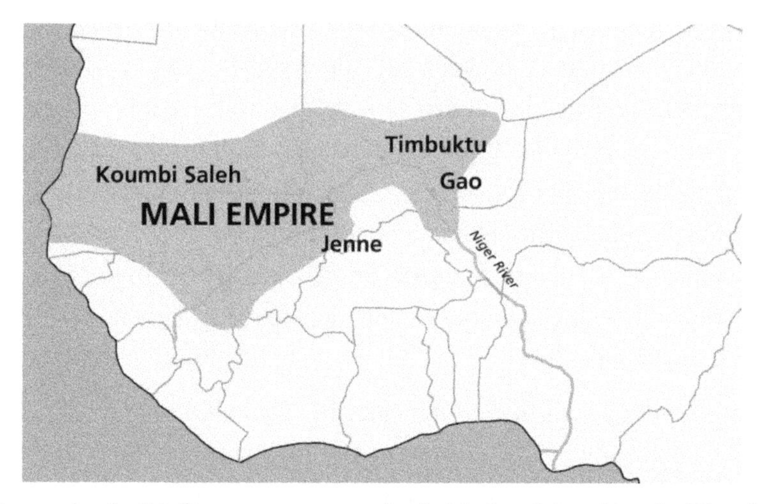

El Imperio de Malí en su apogeo, incluida la ubicación de Tombuctú

Mientras Ghana estaba en declive, el pueblo Soninké, que emigró para escapar de las zonas secas e infértiles, fue asimilado por los numerosos reinos pequeños que comenzaron a formarse en toda la sabana. Al sur de Ghana, los reinos Kaniaga (el reino Susu), Mema y Diara se hicieron con el poder a orillas del río Níger y sus afluentes. Aquellas tierras todavía eran fértiles y podían sustentar a todos los recién llegados. Algunos de estos reinos ya eran musulmanes, pero la mayoría continuaron la práctica tradicional de las religiones politeístas.

El más poderoso de los reinos politeístas era Susu (Sosso). Su familia gobernante se llamaba Kante, y eran herreros. En la pequeña sociedad del reino, los herreros gozaban de un alto estatus, pues tenían el poder de ordenar al fuego que sometiera al hierro y lo doblara para producir las herramientas que servían a toda la comunidad. Debido a los poderes casi mágicos de los herreros, también fueron elegidos líderes religiosos de los clanes.

El reino Susu se ubicaba en la región que hoy se conoce como Beledougou. Este territorio se encontraba al norte de Bamako, la capital de la actual República de Malí. Desafortunadamente, no se realizaron excavaciones arqueológicas en la región, y la única fuente respecto al reino Susu proviene de los escritos de los eruditos árabes que viajaron por la región siguiendo las caravanas comerciales. La tradición oral de los locales todavía los identifica como la comunidad Susu, y una de las aldeas cercanas todavía lleva el nombre de Susu.

En el siglo XII, Susu tomó algunos de los territorios que pertenecieron al Imperio de Ghana. Esta información llegó a El Cairo, donde Ibn Jaldún, un erudito árabe, entrevistó a muchos comerciantes que venían del Imperio de Malí. Quería escribir la historia de los pueblos de África occidental y escuchaba las historias de quienes llegaban a Egipto para comerciar. Le dijeron que Susu era el reino más grande y poderoso de la región y que estaba gobernado por el rey Sumanguru Kante. Los comerciantes tenían muchas historias fantásticas sobre su rey, quien, según ellos, era un gran conquistador y hechicero. Los primeros reinos que conquistó se encontraban justo al sur de Susu, a ambas orillas del Níger. Eran caciques Mande independientes que compartían la cultura y el comercio.

Los caciques Mande gobernaron sus tierras como reyes súbditos del Imperio de Ghana durante el siglo XI. Con la disolución del Imperio de Ghana, obtuvieron su independencia y no permitieron que Susu se apoderara de lo que quedaba de Ghana. En cambio, eligieron rebelarse y liberarse del reino Susu. Aquí, el épico cuento oral de Sunjata cuenta su versión de la fundación del Imperio de Malí. La epopeya Sunjata se sigue contando entre los Mande de Malí, y tiene muchas variaciones, ya que cada región cuenta su propia versión de la epopeya. Sin embargo, todos están de acuerdo en que cierto héroe, llamado Sogolon Sunjata, logró derrocar al rey Susu Sumanguru Kante y comenzó lo que se conocería como el Imperio de Malí.

En algunas versiones de la epopeya, el nombre del héroe es Sundiata del clan Keita. Nació lisiado y no pudo caminar durante toda su infancia. Después de la muerte de su padre, su hermano se apoderó del reino, exiliando a Sundiata Keita y a su madre. Ningún reino vecino acogió a la pareja, y viajaron a la lejana tierra de Mema. Allí, se convirtió en un famoso guerrero. Algunas versiones de la historia relatan que debido a su enorme popularidad fue elegido heredero del trono de Mema. Sin embargo, cuando Sundiata se enteró de los problemas entre el reino Mande y los Susa y su malvado rey hechicero, decidió regresar y liberar a su pueblo. Consiguió unir a los pueblos de los reinos vecinos y combinar los ejércitos de Wagadu, Mema y Mande para derrotar al reino Susu. En la batalla de Kirina, en la región de Koulikoro (actual Malí), Sumanguru Kante fue muerto, y Sundiata Keita destruyó a los Susu. Las fuentes árabes datan esta batalla en 1235, que a menudo se utiliza como el año de la fundación del Imperio de Malí.

De Sunjata a Sakura

La información sobre el Imperio de Malí procede en su mayor parte de los historiadores, eruditos y exploradores árabes, como Shihab al-Din al-Umari (1300-1384), Ibn Batuta (1304-1369) e Ibn Jaldún (1332-1406). Viajaron por el mundo islámico medieval y recogieron las historias del auge y la caída de los imperios de África. Según ellos, Sunjata gobernó durante veinticinco años después de fundar el

Imperio de Malí y la dinastía Keita. Fue el primero en recibir el título de Mansa, que proviene de la palabra mandinga para designar a un rey o emperador. Tras su muerte, le sucedió su hijo, Mansa Wali, conocido en el mundo árabe como Mansa Ali. Fue el único hijo biológico del héroe Sunjata y el primer rey de Malí que se convirtió al islam. Sus hermanos adoptivos y sucesores, Wati y Khalifa, eran los hijos del hermano de Sunjata.

La tradición oral cuenta que Mansa Wali era demasiado joven para heredar el trono. Se suponía que su tío gobernaría, pero el joven príncipe era demasiado ambicioso, y tomó el trono por la fuerza. Sin embargo, no tuvo hijos propios para heredar después de él, y dejó el reino a los hijos de su tío. Durante su gobierno, Mansa Wali hizo la peregrinación a la Meca entre 1260 y 1277. Wali es recordado como rey por su trabajo excesivo en la expansión de los territorios del Imperio de Malí hacia el oeste de África, así como en la introducción de reformas en la agricultura, la economía y la política.

Desafortunadamente, le sucedieron sus hermanos adoptivos, que no aportaron nada al imperio. El primero en gobernar después de Mansa Wali fue Wati. Sin embargo, no hay recuerdos de su reinado en la tradición oral ni en las fuentes escritas de los eruditos árabes. Esto lleva a concluir que no hizo nada por el imperio. El siguiente en gobernar fue su hermano, Khalifa. Se le recuerda, pero por malas razones. Khalifa era un rey loco quien gustaba de practicar el tiro con arco disparando a su gente. Eventualmente, una turba furiosa lo mató.

Se desconoce si los dos hermanos que heredaron después de Mansa Wali tuvieron hijos, pero el siguiente gobernante fue el hijo de la hermana de Sunjata, Abu Bakr. Esta tradición posiblemente fue adoptada de los restos del Imperio de Ghana, pues su sucesión era matrilineal. Sin embargo, parece que las luchas dinásticas continuaron en el Imperio de Malí y el siguiente gobernante fue un comandante militar, no un miembro de la familia real. Sakura, que gobernó desde 1298 hasta 1308, se hizo con el trono, probablemente con el apoyo del pueblo. También hizo una peregrinación a la Meca, lo que prueba que tenía el apoyo de su pueblo. De lo contrario, hubiera sido muy imprudente dejar el imperio en un momento tan delicado.

Sakura fue uno de los mejores reyes que tuvo el Imperio de Malí. Convirtió a Malí en un poderoso imperio que controlaba el comercio al norte de África, papel que Ghana tuvo una vez. Tuvo un nuevo crecimiento económico y como resultado, Malí prosperó. Confiando en su imperio, Sakura se embarcó en una serie de expediciones militares que expandieron los territorios de Malí. La conquista más significativa probablemente fue la ciudad de Gao. Situada en la orilla oriental del río Níger, esta ciudad resultó ser uno de los centros comerciales más importantes de las rutas transaharianas. La ciudad era rica y ya estaba bajo el dominio musulmán, por lo cual la transición al imperio de Malí se realizó sin problemas.

Sakura murió camino de regreso a Malí después de su peregrinación. Por alguna razón desconocida, el imperio regresó a la anterior dinastía de los descendientes de Sunjata. Varios reyes insignificantes gobernaron el Imperio de Malí hasta que finalmente llegó el famoso Mansa Musa en 1312, el gobernante más grande y rico de África Occidental.

Mansa Musa y la ciudad de Tombuctú

Mansa Musa del clan Keita gobernó el Imperio de Malí durante veinticinco años (1312-1337). Su reinado se considera la edad de oro del pueblo de Malí. Fue un rey muy piadoso y generoso, y según el historiador árabe Ibn Kathir, era un hombre joven cuando heredó el trono, y gobernó sobre veinticuatro reinos menores.

Sin embargo, Mansa Musa no heredó el trono cuando su predecesor murió. Fue elegido regente del imperio cuando Mansa Abu Bakr II emprendió un controvertido viaje a través del océano Atlántico. La historia, escrita por eruditos árabes, cuenta de la insaciable curiosidad de Abu Bakr sobre lo que había al final del océano Atlántico. Envió una expedición para ver qué había tras las grandes aguas, pero solo regresó un barco. El resto se hundió, probablemente en una tormenta. Insatisfecho, el rey se hizo a la mar, con 2.000 barcos para sus hombres y 1.000 para comida y agua. Ninguno de los que cruzaron el océano con Abu Bakr regresaron, y hasta hoy, sigue siendo un misterio si alguna vez llegaron al Nuevo Mundo.

Cuando fue obvio que Abu Bakr II no regresaría de sus viajes, Musa Keita fue elevado de regente a rey, ganando el título de Mansa en el proceso. Descrito como un gran hombre por fuentes árabes, Mansa Musa se sentaba en un trono de ébano, adornado con enormes colmillos de elefante. Tanto el rey como sus oficiales empuñaban armas de oro cuando se reunían con los representantes de otros reinos. Mansa Musa tenía unos treinta esclavos a su disposición, quienes le servían a él y a sus compañeros. Uno de los esclavos tenía la tarea de sostener siempre una sombrilla de seda sobre la cabeza del rey. La sombrilla tenía un adorno de halcón en la parte superior, hecho de oro puro.

Otras descripciones del rey de Malí mencionan la música que le acompañaba cuando salía en público. Nunca hablaba o daba discursos en público. Todo lo que tenía que decir se lo susurraba a sus principales portavoces, que luego hacían anuncios públicos por él. Dos caballos siempre seguían la procesión del rey. Eran un signo de riqueza, ya que eran los animales más caros de África Occidental, pero no eran solo para presumir. Estaban completamente equipados y listos en caso de que Mansa necesitara montarlos.

No era inusual que los gobernantes del sur de África peregrinaran a la Meca (conocida como el Hayy), pero sin duda la suya fue la más famosa. Como musulmán devoto, Musa no impuso su religión a la gente común del Imperio de Malí, pero sí la convirtió en obligatoria para la aristocracia. Aunque algunos de los pueblos que gobernó eran todavía paganos, las fiestas religiosas musulmanas se celebraban en todo el imperio como días sagrados nacionales. Durante su gobierno, el islam prosperó en el África subsahariana, y muchos reinos se convirtieron voluntariamente.

Los preparativos para la peregrinación de Musa duraron nueve meses. La historia dice que el rey consultó a sus adivinos sobre la fecha en la cual debía partir, y dijeron que debía ser un sábado que cayera en el día doce del mes. Se desconoce la fecha exacta de la peregrinación de Musa, pero llegó a Egipto en 1324. El viaje duró alrededor de un año, y las fuentes escritas mencionan que la procesión de Musa contaba con 60.000 hombres, de los cuales 12.000 eran esclavos. El rey proporcionó todo lo necesario para el largo peregrinaje, y vistió a su pueblo con la seda más fina y con adornos de oro. Incluso se dijo que cada esclavo tenía que llevar un lingote de oro. Una vez que llegaron a Egipto, todos los esclavos fueron vendidos, y el dinero fue regalado a los egipcios. El sultán de Egipto recibió 40.000 dinares de oro como regalo, y mucho más dinero fue compartido. Como ya se ha dicho, la generosidad de Mansa Musa fue legendaria.

Musa permaneció en Egipto durante tres meses antes de continuar su viaje a las ciudades santas de La Meca y Medina. Tuvieron que comprar nuevos esclavos para este viaje. A pesar de que el rey de Malí tenía varios guardias, el viaje a través del desierto y después de Egipto era muy peligroso. Sakura, uno de los anteriores reyes de Malí, fue asesinado de regreso del Hayy, e incluso Mansa Musa experimentó problemas. Todo su séquito se separó de la caravana principal. El pueblo subsahariano no estaba familiarizado con las rutas que llevaban de El Cairo a La Meca, por lo que necesitaban a las caravanas locales. Camino de regreso a Egipto, Musa se perdió y llegó a la orilla del mar en Suez en lugar de El Cairo. Antes de encontrar el camino de regreso, el séquito de Musa perdió alrededor de un tercio de la gente y muchos animales.

En su peregrinaje, Mansa Musa pasó por las ciudades de Tombuctú y Gao, pero en su camino de regreso, las anexó e incorporó al Imperio de Malí. Tombuctú sigue siendo la ciudad más famosa y misteriosa de África Occidental. Se han escrito muchas historias sobre ella, e incluso hoy en día, la gente duda de su existencia. Creen que es un lugar inventado o una antigua ciudad muy misteriosa que aún no ha sido descubierta. Sin embargo, Tombuctú es real, y todavía está habitada. Es parte de la lista del Patrimonio de la Humanidad por su importancia en la islamización del continente africano, por su historia y arquitectura únicas.

Tombuctú comenzó como un asentamiento en el siglo V, pero su posición le permitió prosperar y convertirse en una ciudad. Estaba convenientemente situada en las rutas comerciales de la región del Sahara, y se hizo rica gracias al comercio de sal, marfil y cobre. Mansa Musa pudo darse cuenta de la importancia económica de Tombuctú, y su reputación le sirvió bien porque nadie se resistió a la anexión de la ciudad, que tuvo lugar en 1324 o 1325. Debido a la importancia de Tombuctú, Musa ordenó la construcción de un palacio real. Esta tarea fue asignada a Ishaq al-Sahili, un arquitecto musulmán de España. Construyó la residencia real cuadrada con una cúpula en la parte superior, un diseño que se convertiría en un elemento básico del Imperio de Malí. El arquitecto optó por instalarse en Tombuctú, y se le atribuyó la mezquita Djinguereber, que se construyó allí entre 1324 y 1327. Dos siglos más tarde, cuando el Imperio Songhai se apoderó de la ciudad, la mezquita fue derribada y en su lugar se construyó una más grande.

Mansa Musa también vio que la ciudad de Tombuctú atraía muchos visitantes debido a sus ricos mercados. Muchos no eran musulmanes, pero estaban fascinados con la apertura de la ciudad a diferentes personas. El rey de Malí decidió fundar una universidad, en la cual los eruditos musulmanes pudieran predicar su religión. El piadoso Mansa Musa vio la oportunidad de utilizar la popularidad de Tombuctú para difundir el islam por África mediante su universidad. La ciudad se hizo ampliamente famosa incluso en Europa, y los comerciantes de Venecia y Génova comenzaron a visitarla regularmente.

Tombuctú no fue la única ciudad donde el rey de Malí inauguró universidades. También abrió el campo de los estudios islámicos en ciudades como Djenne y Segou. Pero la de Tombuctú siguió siendo una de las más populares. Creció rápidamente y, en el siglo XVI, tenía más de 25.000 estudiantes. Musa amplió el plan de estudios de la universidad e introdujo matemáticas, astronomía y geografía. La universidad de Tombuctú se convirtió en una de las más grandes de África, con una biblioteca comparable a la de Alejandría.

La lucha por el poder y el final del imperio

Se desconoce cuándo murió exactamente Mansa Musa, pero su hijo comienza a aparecer en las fuentes escritas como nuevo rey de Malí alrededor de 1337. Su nombre era Mansa Maghan, y solo gobernó durante cuatro años antes de morir. No dejó hijos capaces de gobernar tras él, por lo cual el trono pasó al hermano de Mansa Musa, Mansa Suleyman. Era otro gobernante poderoso y eficaz, aunque no era del agrado de la gente como su hermano. Mientras Musa era un rey generoso, Suleyman era descuidado. Probablemente se debe a que, en aquel momento, la peste negra llegó al norte del continente africano, donde mató del 30 al 50 por ciento de sus habitantes. Aunque no existen pruebas de que la peste haya llegado al Imperio de Malí, ciertamente influyó en el comercio con el norte, uno de sus principales socios comerciales. Las consecuencias económicas de la peste negra se sintieron en todo el mundo y los reinos subsaharianos no fueron la excepción.

La información sobre el Imperio de Malí durante el reinado de Mansa Suleyman se debe al geógrafo Ibn Battuta, quien pasó ocho meses visitando la corte en 1352/53. Fue testigo de las audiencias del rey y escribió extensamente sobre ellas. Comparó la riqueza del palacio real de Malí con las cortes europeas, y dijo que eran iguales en belleza y prosperidad. Trescientos soldados protegían al rey mientras escuchaba a la gente sentado en su trono. El rey vestía una túnica roja y tenía un tocado dorado. Llevaba un arco y flechas, y al igual que su hermano Mansa Musa, tenía dos caballos listos para llevarlo a donde necesitara.

Ibn Battuta también fue testigo de un intento de deshacerse de Suleyman. La historia es complicada, pero parece que todo empezó cuando el rey quiso casarse con una chica común llamada Banju en lugar de su primera esposa, Kassi. Según la tradición, la aristocracia del Imperio de Malí tenía muchas esposas, pero solo una disfrutaba del estatus de reina y gobernaba junto a su esposo. Para Suleyman, su reina sería su prima Kassi. Pero quería elevar a la plebeya Banju, por lo cual tuvo que deshacerse de Kassi. Se divorció de ella, pero Kassi tenía la simpatía de otros aristócratas, quienes le ofrecieron su apoyo. Estalló una guerra civil entre el pueblo dividido de Malí, algunos apoyaban al rey y otros a la ex reina. La lucha continuó hasta que Suleyman proporcionó la evidencia de que Kassi estaba conspirando con uno de sus primos para traicionarlo. Sea cierto o no, el pueblo de Malí estuvo de acuerdo en que se trataba de un delito grave y que ella merecía la pena de muerte. Para evitarlo, la ex reina se escondió en una mezquita. Se desconoce qué sucedió al final, y si las acusaciones en su contra eran ciertas o simplemente fueron fabricadas para conveniencia del rey.

Mansa Suleyman gobernó durante veinticuatro años y al morir, en 1360, lo sucedió su hijo Kassa. Sin embargo, estalló una guerra civil, pues los hijos de Suleyman y Mansa Musa luchaban por el trono. Finalmente, el hijo de Mansa Maghan, Mari Djata II, se impuso y se apoderó del trono. Fue un tirano y arruinó el imperio. Fue abusivo con su gente y derrochó el tesoro nacional. Vendió el oro a los egipcios por un precio muy bajo, llevando el imperio a la pobreza. Pero no gobernó por mucho tiempo. Padecía la enfermedad del sueño, transmitida por las moscas tsetsé, y murió en 1374.

El trono fue heredado por el hijo de Mari Djata, Mansa Musa II. No se parecía en nada a su padre, pues fue sabio y justo. Pero tampoco a su tocayo Mansa Musa I. Musa II era débil e incapaz de controlar a sus súbditos. Uno de sus asesores tomó el control del gobierno y, finalmente, tomó el trono. Se le conoce como Mari Djata III, aunque no pertenecía a la familia real. Ni siquiera fue reconocido oficialmente como rey de Malí, pero controlaba el trono y el gobierno. A pesar de que hizo todo lo posible por revitalizar el imperio tras los daños causados por la guerra civil después de Suleyman y por el gobierno del tirano Mari Djata II, siempre fue visto como un usurpador.

Una serie de reyes débiles siguieron a Mansa Musa II, y ninguno de ellos pudo mantener el trono más de unos pocos años. Varias intrigas de la corte produjeron asesinatos y muertes misteriosas hasta que el trono fue tomado en 1390 por Mahmud Keita, descendiente directo del primer gobernante de Malí, Sunjata. Sin embargo, no se sabe nada sobre Mahmud excepto que fue el último gobernante de Malí mencionado en las fuentes escritas. La tradición oral habla de otros reyes y reinas, pero en forma de mitos y leyendas. No existe evidencia histórica para confirmar su existencia.

El Imperio de Malí fue socavado por generaciones en lucha por el poder y guerras civiles por el trono. Pronto, a fines del siglo XIV, los reinos distantes integrados al territorio de Malí se separaron y ningún rey fue lo suficientemente fuerte para restablecer el control y detener la disolución del imperio. En 1433, se perdió Tombuctú, Gao y otras provincias distantes, más allá del río Níger. En los siglos XV y XVI, Gao produjo gobernantes poderosos que fundaron un nuevo imperio, el cual reemplazaría a Malí como la potencia más poderosa de África Occidental: el Imperio Songhai.

Conclusión

Existen muchas lagunas en nuestro conocimiento sobre la antigua África y los reinos que gobernaron el continente. La falta de evidencia ralentiza nuestra capacidad para conocer lo sucedido en el pasado. Las arenas siempre cambiantes del desierto del Sahara, así como los probables cambios climáticos que ocurrieron en el continente, escondieron sitios arqueológicos aún no descubiertos. En el caso de la mística Tierra de Punt, ni siquiera sabemos su ubicación exacta. Sin embargo, el lugar de nacimiento de la humanidad es un rico patio de recreo para estudiosos e historiadores, que trabajan incansablemente para llegar a nuevas conclusiones y encontrar nuevas pruebas para rasgar los velos que aún oscurecen la historia.

Quedan por descubrir muchos monumentos, textos e imágenes del pasado de África, pero cuanto tenemos es suficiente para comprender la forma de pensar y de vivir de los antiguos reinos. Egipto, una civilización que dejó tanta evidencia, ofrece una idea de la vida en otras tierras de África antigua. A través del lente de Egipto, podemos saber sobre Nubia, Kush y Punt. Cartago también dejó una rica cultura, que todavía nos fascina con sus historias y sus relaciones con el resto del mundo, y gracias a varios historiadores de la antigüedad, romanos, griegos y fenicios, tenemos una visión clara de la herencia cartaginesa.

Otros reinos, como Axum, Ghana y Malí, tienen ricas tradiciones orales que pueden inspirar nuestra imaginación. Desafortunadamente, las historias transmitidas de generación en generación rara vez se pueden confirmar con evidencia histórica. Siguen siendo solo eso, historias que los pueblos bereberes de África contarán en las hogueras nocturnas.

Por suerte, el inicio de la Edad Media provocó la islamización del continente. Así, muchos geógrafos, historiadores y exploradores del mundo árabe mostraron interés por el continente africano. Reunieron testigos que hablaron de ciudades y reinos distantes, como Koumbi Saleh de Ghana y Tombuctú de Malí. Hablaron de las riquezas, de las rutas comerciales del desierto del Sahara, de los reyes y reinas sentados en sus tronos de ébano. Si no fuera por los eruditos del islam, la historia de África Occidental todavía nos sería desconocida.

Sin embargo, no se puede culpar solo a la falta de pruebas de nuestro escaso conocimiento sobre la historia de África. El lugar donde nació la humanidad debe entenderse para podernos entender mejor a nosotros mismos. Desafortunadamente, la arqueología de la época colonial creía que las sociedades de la antigua África no eran capaces de producir nada interesante, y al principio, los arqueólogos la ignoraron (a excepción de Egipto y Cartago). Por lo tanto, apenas se inicia una investigación extensiva sobre la historia de este continente. Y como asentamiento más antiguo de la humanidad, África es muy diversa, culturalmente rica y abundante en información histórica. Queda mucho por descubrir sobre los primeros humanos, su desarrollo, los primeros pueblos, ciudades y reinos de la antigua África. Con el tiempo, se descubrirá más información, ya que apenas hemos arañado la superficie de la rica historia del continente africano.

Vea más libros escritos por Captivating History

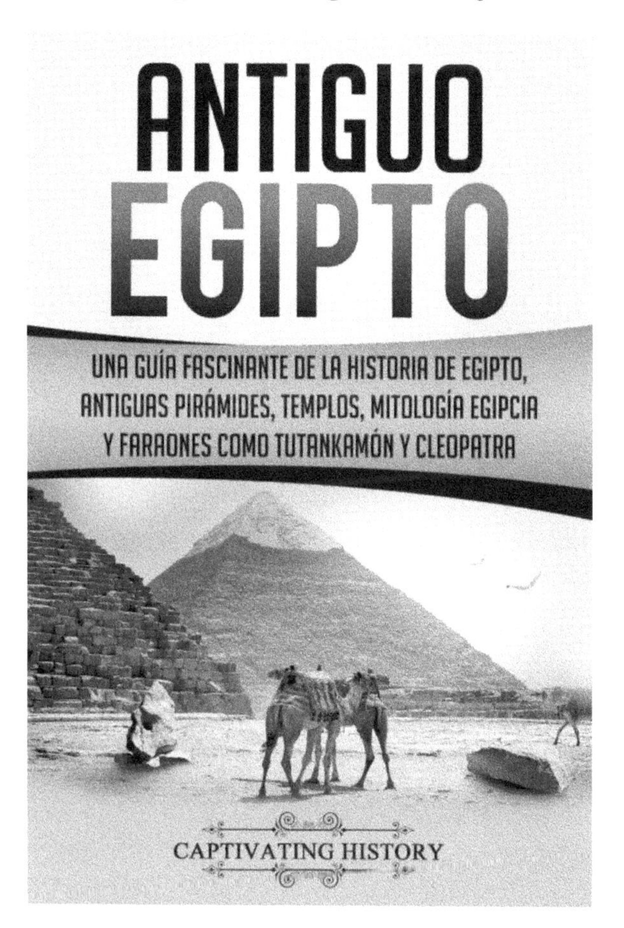

Fuentes

Bard, Kathryn A. *The Wonderful Things of Punt: Excavations at a Pharaonic Harbor on the Red Sea.* Boston University, 2011.

Collins, Robert O. *Western African History.* M. Wiener Pub., 1990.

Cook, S. A. (editor), et al. *The Cambridge Ancient History: Vol 08, Rome and the Mediterranean 218-133 BC.* Publisher Not Identified, 1930.

Hatke, George. *Aksum and Nubia: Warfare, Commerce, and Political Fictions in Ancient Northeast Africa.* New York University Press, 2013.

Kendall, Timothy. *Discoveries at Sudan's Sacred Mountain of Jebel Barkal Reveal Secrets of the Kingdom of Kush.* The National Geographic Society, 1990.

László, Török. *The Kingdom of Kush Handbook of the Napatan-Meroitic Civilization.* Brill, 1997.

McBrewster, John, et al. *Mali Empire: Pre-Imperial Mali, Military History of the Mali Empire, Mandinka People, Sundiata, Keita, Musa (Mansa).* Alphascript Publishing, 2009.

Phillipson, David W. *Foundations of an African Civilisation Aksum & the Northern Horn, 1000 BC - AD 1300.* Currey, 2014.

Rollin, Charles. *Ancient History of the Egyptians, Carthaginians, Assyrians, Babylonians, Medes, and Persians, Macedonians, and Grecians, Tr. from the French, Illustrated with a New Set of Maps.* Sharpe, 1819.

Saad, Elias N. *Social History of Timbuktu: The Role of Muslim Scholars and Notables, 1400-1900.* Cambridge University Press, 2010.

Sherrow, Victoria. *Ancient Africa: Archaeology Unlocks the Secrets of Africa's Past.* National Geographic Society, 2007.

Lightning Source UK Ltd.
Milton Keynes UK
UKHW041806140223
416720UK00009B/152